U0565231

中华优秀传统文化书系

Excellent Chinese Traditional Culture

The Analects of Confucius

本书编写组 编

山東畫報出版社

图书在版编目（CIP）数据

论语 / 本书编写组编. —济南：山东画报出版社，2020.8
（中华优秀传统文化书系）
ISBN 978-7-5474-3652-3

Ⅰ.①论… Ⅱ.①本… Ⅲ.①儒家 ②《论语》—注释 ③《论语》—译文 Ⅳ.①B222.2

中国版本图书馆CIP数据核字（2020）第104726号

中华优秀传统文化书系：论语

本书编写组 编

项目策划 梁济生
项目统筹 秦 超
责任编辑 梁培培 姜 辉
特邀编辑 仇 雨 张嘉奥
装帧设计 李海峰

出 版 人 李文波
主管单位 山东出版传媒股份有限公司
出版发行 山東畫報出版社
社 址 济南市市中区英雄山路189号B座 邮编 250002
电 话 总编室（0531）82098472
市场部（0531）82098479 82098476（传真）
网 址 http：//www.hbcbs.com.cn
电子信箱 hbcb@sdpress.com.cn
印 刷 山东星海彩印有限公司
规 格 787毫米×1000毫米 1/32
37.5印张 48幅图 500千字
版 次 2020年8月第1版
印 次 2020年8月第1次印刷
书 号 ISBN 978-7-5474-3652-3
定 价 272.00元（全四册）

山东是儒家文化的发源地，也是中华优秀传统文化的重要发祥地，在灿烂辉煌的中华传统文化“谱系”中占有重要地位。用好齐鲁文化资源丰富的优势，扎实推进中华优秀传统文化研究阐发、保护传承和传播交流，推动中华优秀传统文化创造性转化、创新性发展，是习近平总书记对山东提出的重大历史课题、时代考卷，也是山东坚定文化自信、守护中华民族文化根脉的使命担当。

为挖掘阐发、传播普及以儒家思想为代表的中华优秀传统文化，推动中华文明与世界不同文明交流互鉴，山东省委宣传部组织策划了“中华优秀传统文化书系”，并列入山东省优秀传统文化传承发展工程重点项目。书系以儒家经典“四书”（《大学》《中庸》《论语》《孟子》）为主要内容，对儒家文化蕴含的哲学思想、人文精神、教化思想、道德理念等进行了现代性阐释。书系采用权威底本、精心校点、审慎译注，同时添加了权威英文翻译和精美插图，是兼具历史性与时代性、民族性与国际性、学术性与普及性、艺术性与实用性于一体的精品佳作。

《论语》是记录孔子及其弟子言行的一部著作，是反映孔子思想的基本文献，是继“五经”（《周易》《尚书》《诗经》《春秋》《仪礼》）之后出现的一部重要经典。宋代，朱熹将其与《孟子》《大学》《中庸》选列入“四书”，并将“四书”分章断句，汇集注释，形成《四书章句集注》，广为传播。

一、《论语》的成书及流传

《论语》书名的含义，古今歧解纷纷，一个“论”字，引出“论纂”说、“伦理”说、

“追论”说、“讨论”说、“选择”说、“条理”说等多种解说。比较而言，当以“论纂”说为是。“论”有“编纂”义，所谓“论语”，就是编纂在一起的话语。就《论语》来讲，就是编纂起来的孔子、弟子、时人的谈话记录。

《论语》的编纂与成书。《汉书·艺文志》有述：“《论语》者，孔子应答弟子、时人及弟子相与言而接闻于夫子之语也。当时弟子各有所记，夫子既卒，门人相与辑而论纂，故谓之《论语》。”据此可知，《论语》的编纂时间应是在“夫子既卒”之后不久；《论语》的编纂者是孔子的弟子们。至于哪些弟子参与了编纂，后人有多种说法，汉郑玄说是仲弓、子游、子夏，魏王肃说是子贡、子游，唐柳宗元说是孔子的再传弟子乐正子春、子思等。今人多认为：《论语》初成于孔子众弟子之手，最终由孔子的孙子子思整理编定。

《论语》成书之后，便逐步有了较广泛的传播，其传播方式，一是辗转传抄，一是口耳相传。从《孟子》以及后来出土的楚简均可看出《论语》在战国时期的流传痕迹。其传本形态，鲁恭王坏孔子宅所得古文《论语》可以见证。后经秦皇焚毁，抄本几乎绝迹。汉代武帝时，鲁恭王刘余坏孔子宅，在壁中幸得孔氏家传抄本《论语》，经孔安国整理后得以面世，因是战国文字，故称之为古文《论语》，简称为《古论》。有学者认为，西汉时期出现的《齐论》《鲁论》，都是由《古论》发展而来。“三论”是西汉时的主要版本，在长期的传承过程中，难免有更改、增减或衍脱，出现了篇章、篇次以及文字内容的差异。为消除分歧，安昌侯张禹以《鲁论》为本，参照《齐论》，整合为一个定本，名为《张侯论》。此书面世后，受到了士子们的认可。东汉时，包咸、周氏为之章句，立于学官。熹平年间全文刻于石碑，成为官方定本。大儒郑玄也以《张侯论》为本，撰成《论语注》。由此，它本浸微，而《张侯论》得以世代流传。

汉代以后，出现的《论语》注释著作数不胜数，较著名的有：魏何晏的《论语集解》，梁皇侃的《论语义疏》，宋邢昺的《论语注疏》，宋朱熹的《论语章句集注》，清刘宝楠的《论语正义》，近代程树德的《论语集释》等。

二、《论语》的思想内容

从部头上来讲，《论语》虽然只有一万六千字，但体大思精，精辟地阐述了人生的哲理，合理地规范了人生的准则。就其思想而言，包括仁爱、礼仪、诚信、孝道等多个方面。

仁爱思想。孔子的思想核心是“仁”。据统计，《论语》一书“仁”字共出现109次。“仁”何义？汉代许慎《说文解字》曰：“仁，亲也。从人从二。”宋代徐铉注《说文》曰：“仁者兼爱，故从二。”可知，仁的基本含义是人与人相亲爱。《论语·颜渊》篇樊迟问仁，孔子回答曰："爱人。"仁者爱人，爱广大民众（"泛爱众而亲仁"）。这种爱不只是停留在口头上，而是要时时事事体现在行动上，是要终生去实践它。正像曾子所说："士不可以不弘毅，任重而道远。仁以为己任，不亦重乎？死而后已，不亦远乎？"(《泰伯》)把践行"仁"作为终生奋斗的重任和目标，仁爱他人，为民造福。

礼仪思想。孔子以"仁"为内在，重在以仁德修心；以"礼"为外在，重在以礼仪规范行为，规范社会。他强调"礼"的重要性，认为"不学礼无以立"（《季氏》），主张人的一切言行都要符合礼："非礼勿视，非礼勿听，非礼勿言，非礼勿动。"（《颜渊》）颜渊问仁，孔子回答说："克己复礼为仁。一日克己复礼，天下归仁焉。"（《颜渊》）这句话曾被很多人误解，正确的理解是：克制自己约束自己，使自己的一切言行都归合于礼，就是仁。如果人人约束自己而归合于礼，天下就都归于仁了。也就是说，人人克己复礼，天下就成了充满仁德的天下。

诚信思想。孔子重视诚信，把诚信列入“五常”（人们遵循的五种常道），即仁、义、礼、智、信；把忠信列入学校教育“四科”，即文、行、忠、信。要求人在说话、处事、交友、为政等方面都要讲究诚信。说话，要“言而有信”（《学而》）；处事（世），要恭敬忠信，“居处恭，执事敬，与人忠”（《子罕》）；交友，要结交讲诚信的朋友，“友直，友谅，友多闻，益矣”（《季氏》）；为政，要取信于民，“民无信不立”（《颜渊》）。

孝道思想。孔子具有很高的孝道境界，他认为，子女对待父母，只做到“养”是不够的，要做到“敬”。他说：“今之孝者，是谓能养。至于犬马，皆能有养。不敬，何以别乎？”（《为政》）意思是说：今天有些人谈到孝，认为对老人做到养就是孝了。这种要求太低了，连狗和马等有灵性的动物都能做到长幼间的相养，作为人，在赡养老人时如果体现不出“敬”来，那与狗马等动物有何区别？

和谐友善思想。人生活在社会群体之中，需要保持友善的态度，构建和谐的人际关系。在这方面，孔子提出“君子成人之美，不成人之恶”（《颜渊》），“与人恭而有礼”（《颜渊》），“己所不欲，勿施于人”（《卫灵公》），“己欲立而立人，己欲达而达人”（《雍也》），“君子尊贤而容众，嘉善而矜不能”（《子张》），以及“和为贵”“温良恭俭让”“恭宽信敏惠”等众多行之有效的行为准则。

义利思想。所谓“义”，指符合正义，符合公益或道德规范。所谓“利”，指利益、财利、好处。孔子认为，“利”要符合“义”。他说：“不义而富且贵，于我如浮云。”（《述而》）“富与贵，是人之所欲也，不以其道得之，不处也。贫与贱，是人之所恶也，不以其道去之，不去也。”（《述而》）孔子重义，并非不要财富，他既希望国民富足，如在卫国时，他希望卫国民众富庶，也希望个人富有，如《述而》篇，他说：“富而可求也，虽执鞭之士，吾亦为之。”面对贫穷，孔子如是说：“君子固穷，小人穷斯滥矣。”（《卫灵公》）“好勇疾贫，乱也。”（《泰伯》）可见，孔子的义利观是值得肯定的：君子求福，取之有道。面对穷困时，不要滥漫无节、胡作非为，而是凭着个人的努力奋斗摆脱贫困。

为政思想。在从政为官方面，孔子一是强调正身：“政者，正也。子帅以正，孰敢不正。”（《颜渊》）“不能正其身，如正人何？”（《子路》）“其身正，不令而行；其身不正，虽令不从。”（《子路》）二是强调德政：“为政以德，譬如北辰，居其所而众星共之。”（《为政》）“博施于民而能济众。”（《雍也》）三是强调勤政：“居之无倦，行之以忠。”（《颜渊》）他这么说，也这么做，“君命召，不俟驾行矣”（《乡党》），国君有命来召，孔子不等车马驾好就急匆匆跑去。

此外，还有“忠恕”“中庸”“谦逊”“刚勇”等思想内容，总之，《论语》中蕴含的思想丰富多彩。

三、今人读《论语》的重要意义

《论语》是两千多年前的古书，当今的广大读者应潜心研读，理由有三：

其一，《论语》自身价值。上述可知，《论语》中所传达的仁爱、礼仪、诚信、孝道、和谐、友善、德政、富民等思想，多与当今时代的价值观吻合。《论语》享誉古今，不仅被古人誉为“盖千年来，自学子束发诵读，至于天下推施奉行，皆以《论语》为孔教大宗正统，以代六经”（康有为《论语注序》），也被今人誉为“两千多年来影响着中华民族精神面貌的最伟大的书”（汤一介语，见雷原《论语：中国人的圣经》），更被外国人尊为“至高无上宇宙第一书”（〔日〕金谷治《孔子学说在日本的传播》)。

其二，个人修养需要。《论语》的大部分内容是谈修身做人，很多名句被人们作为座右铭，诸如“仁者爱人”“修己安人”“己所不欲，勿施于人”“己欲立而立人，己欲达而达人”“君子成人之美”“见贤思齐”“君子尊贤而容众，嘉善而矜不能”，等等。《论语》的育人功能，被世人普遍认知，尤其是儒学界、教育界的研究者，纷纷提倡“读《论语》，学做人”的命题，写出大量专著和论文。《论语》就像一面镜子，帮助人们照去脸上的灰尘，照去心中的恶念，时时提醒“三省吾身”。

其三，社会治理需要。当今社会，人们仍面临诸多难题，要解决这些难题，不仅需要运用人类今天发现和发展的智慧和力量，而且需要运用人类历史上积累和储存的智慧与力量。《论语》中就储存着解决这些难题的丰富智慧和巨大力量。

Contents

学而第一

Book 1. Hsio R

1.1

子曰："学而时习之，不亦说[1]乎？有朋自远方来，不亦乐[2]乎？人不知而不愠[3]，不亦君子乎？"

The Master said, "Is it not pleasant to learn with a constant perseverance and application? Is it not delightful to have friends coming from distant quarters? Is he not a man of complete virtue, who feels no discomposure though men may take no note of him?"

【注释】［1］说（yuè）：同"悦"，喜悦，高兴。［2］乐（lè）：快乐，高兴。［3］愠（yùn）：恼怒，生气。

【译文】孔子说："学了以后而又按时练习或实习，不也是很高兴的吗？有朋友从远方来，不也是很快乐的吗？人家不了解自己而自己不恼怒，不也是君子吗？”

【解读】学习不是为了修养自我、成长自我吗？一部经典，一本小书，常读常新，有举一反三的智慧火花，也有学以致用的灵光乍现，那些许的成就感不也能让自己拥有一份生命的确幸吗？志同道合，惺惺相惜，心有灵犀，如俞伯牙与钟子期，高山流水遇知音，快哉！生活中，一定会有人不了解你，他们吝啬赞扬你，直接忽视你，甚至埋怨、误解你。但是如果你是德行出众的君子，自然不会喘着粗气去争个面红耳赤；也不会撸起袖子，火冒三丈。你一定会微笑着优雅以对，那是一种包容的胸怀，也是一种成熟的境界。

孔子的这几句话被后人广泛引用和传诵，成为千古名言。

有朋自远方来，不亦乐乎　梁文博 绘

1.2

有子[1]曰："其为人也孝弟[2]，而好犯上者，鲜[3]矣；不好犯上，而好作乱者，未之有也。君子务本[4]，本立而道生。孝弟也者，其为仁之本与！"

The philosopher Yu said, "They are few who, being filial and fraternal, are fond of offending against their superiors. There have been none, who, not liking to offend against their superiors, have been fond of stirring up confusion. The superior man bends his attention to what is radical. That being established, all practical courses naturally grow up. Filial piety and fraternal submission, are they not the root of all benevolent actions?"

【注释】[1]有子：孔子的弟子有若。[2]弟(tì)：同"悌"，敬顺兄长。[3]鲜：少。[4]务本：

致力于根本。

【译文】有若说："假如为人孝顺父母，敬从兄长，而好冒犯长上的，极为少有；不好冒犯长上，而好造反作乱的，未曾有过。君子致力于孝悌之根本，根本确立了，那么为人之道就会随之产生。孝悌，大概就是仁道的根本吧。"

【解读】懂得如何行"孝""悌"很有现实意义。孔子认为，孝悌不仅是立身之本，更是立国之本。一般来讲，孝顺父母就会服从领导，服从领导就不会犯上作乱，不犯上作乱，天下也就太平了。孝道影响政治说，古已有之。《为政》篇记载：有人对孔子说："您为什么不从事政治？"孔子回答说："《尚书》中说：'孝呀，唯有孝顺父母，友爱兄弟，方能影响国政。'践行好孝道，也就等于从事政治了呀，为什么一定要做官才算从事政治呢？”宋朱熹《论语集注》曰：“《书》言君陈能孝于亲，友于兄弟，又能推广此心，以为一家之政。孔子引之，言如此，则是亦为政矣，何必居位乃为为政乎？”

这一章中的“本立而道生”一语，富有哲理。

1.3

子曰："巧言令色[1]，鲜矣仁。"

The Master said, "Fine words and an insinuating appearance are seldom associated with true virtue."

【注释】［1］令色：伪善、谄媚的脸色。

【译文】孔子说："花言巧语，面色伪善，这样的人很少有仁德。"

【解读】巧舌如簧、能说会道，讨别人欢心，孔子称之为"佞"；低眉顺首、可怜兮兮，拿媚态的肢体语言讨好他人，可称之为"谄"。这就是"巧言令色"，孔夫子不喜欢，我们也要警惕。这种人缺乏仁德，往往当面一套，背后一套，花言巧语，阳奉阴违，虚伪狡诈，

两面三刀。所以，在选人用人时要注意防范，交友时也要注意远离这种人。

1.4

曾子[1]曰："吾日三省[2]吾身：为人谋而不忠乎？与朋友交而不信乎？传不习乎？"

The philosopher Tsang said, "I daily examine myself on three points: — whether, in transacting business for others, I may have been not faithful; — whether, in intercourse with friends, I may have been not sincere; — whether I may have not mastered and practised the instructions of my teacher."

【注释】［1］曾子：孔子的弟子曾参（shēn）。［2］省（xǐng）：反省，省察。

【译文】曾子说："我每天从三个方面反省自身：为别人谋划事情有没有不忠诚不尽心的地方呢？和朋友交往有没有不守信的地方呢？老师传授的知识有没有不认真复习呢？"

【解读】曾子为何要每天反省自己呢？原来他认为“为人谋而不忠乎？与朋友交而不信乎？传不习乎？”这三条是一个自律的人应坚持的准则。帮别人尽心尽力，还是虚应其事？交友是交心，还是交面？学习能否勤勉，从而学以致用？一句话：是否忠，是否信，是否在践习。儒家学说向来注重自我反省，认为反省对于一个人道德修养的提高很有价值与意义，并将时刻反省自己看成学习成长的一种重要途径。曾子说的这句话看似简单，却有着修身的哲理和积极的现实意义。

1.5

子曰："道千乘[1]之国，敬事而信，节用而爱人，使民以时。"

The Master said, "To rule a country of a thousand chariots, there must be reverent attention to business, and sincerity; economy in expenditure, and love for men; and the employment of the people at the proper seasons."

【注释】[1]道(dǎo)：同"导"。千乘(shèng)：一千辆兵车。古时四匹马驾一辆车合称"乘"。

【译文】孔子说："领导治理拥有千辆兵车的国家，应当恭敬从事，诚信不欺，节约用度，爱护人民，役使民众选择适宜之时。"

【解读】此章针对为政者而谈，强调了敬业、守信、节用、爱民诸多方面。要治国，先是保持一个“敬”的心态，何为敬？就是要毕恭毕敬地对待你所做的事情。当领导，不单是要爱上这个岗位，还要敬畏权力，要恪尽职守，才能“为官一任，造福一方”。胸怀敬畏之心，才能坚守诚信，不搞欺诈，不会对老百姓的事情推诿扯皮。心有仁爱，才会节用，才会为民。“使民以时”，就是农忙时节不要扰民，不误农时。总之，敬业，要像周公“一沐三握发，一饭三吐哺”。取信于民，要像商鞅立木取信、季布一诺千金。节用，就要戒除奢靡，开源节流；爱民，就应扶危济困，赈灾救灾，精准扶贫，如此才能深得民心。

1.6

子曰：“弟子入则孝，出则弟，谨而信，泛爱众，而亲仁。行有余力，则以学文。”

The Master said, “A youth, when at home, should be filial, and, abroad, respectful to his elders. He should be earnest and truthful. He should overflow in love to all, and cultivate the friendship of the good. When he has time and opportunity, after the performance of these things, he should employ them in polite studies.”

【译文】孔子说：“年轻人在家要孝顺父母，出外要敬顺长上，谨慎言行，诚实守信，博爱民众而亲近仁人。躬行仁德之后还有余力，就用来学习文化知识。”

【解读】“弟子入则孝，出则弟”，说的是家

庭与社会的关系，孝悌是立德做人的根本。“谨而信”，是说生活中要谨言慎行，生活有了常度，自己才能守礼，才可能对他人守信用，也就是谨才能信。《论语》讲仁者爱人，爱众生，所有的人都要爱，而且，更要亲近那些有道德、有学问、有人生境界、有情怀的仁人，这就是“泛爱众而亲仁”。至于“行有余力，则以学文”是说在践行德行的过程中，好的品德是第一位的，在此基础上多读书多学习，以求多闻博识，开阔心胸，提升志趣，追贤逐圣。一句话：入孝出悌，立本为要；谨言慎行，与人诚信；仁爱天下，亲贤近仁；生命不息，学习不止。

1.7

子夏[1]曰："贤贤易色[2]，事父母，能竭其力，事君能致其身，与朋友交言而有信。虽曰未学，吾必谓之学矣。"

Tsze-hsia said, "If a man withdraws his mind from the love of beauty, and applies it as sincerely to the love of the virtuous; if, in serving his parents, he can exert his utmost strength; if, in serving his prince, he can devote his life; if, in his intercourse with his friends, his words are sincere: — although men say that he has not learned, I will certainly say that he has."

【注释】［1］子夏：孔子的弟子卜商。［2］贤贤易色：前"贤"字，是意动用法，有"尊重"意；后"贤"字，是名词，指贤人。直译的话，即"贤其贤者，改变容色"；意译的话，即"尊重贤德之人，应改易平常之容色为尊重之容色”，是见到贤人肃然起敬的意思。

【译文】子夏说：“尊重贤者，改易平常之容色为尊重之容色，侍奉父母，能竭尽全力，侍奉国君，能甘愿献身，与朋友交往，言而有信。这样的人虽自称没学文习礼，我一定说他学习过了。”

【解读】见到贤者，顿生肃然起敬之情，这不是虚伪，而是一种尊重。孔子千里迢迢去洛阳问礼，杨时程门立雪尊师敬道，这种尊敬都是发自内心的。竭尽己力报答父母养育之恩，以尽孝；献身为国，以尽忠；君子之交，不以利交，交以诚信。“君子之交淡如水”，水深似海，情谊永续。孝悌忠信思真意，立德修身第一功，做人大抵如此。

本章提出的交友准则“言而有信”，成为后世广泛运用的成语。

1.8

子曰："君子不重则不威，学则不固。主忠信，无友不如己者。过则勿惮[1]改。"

The Master said, "If the scholar be not grave, he will not call forth any veneration, and his learning will not be solid. Hold faithfulness and sincerity as first principles. "Have no friends not equal to yourself. When you have faults, do not fear to abandon them."

【注释】［1］惮（dàn）：怕，畏惧。

【译文】孔子说："君子不庄重严肃就不会有威严，轻佻怠慢，学了东西也不会巩固。要注重忠信，不和在忠信上不如自己的人交朋友。有了过错，就不要怕改正。"

【解读】这一章是在谈君子之道。君子是不会成天嬉皮笑脸游戏人生的，因为他们注重修身立德，故而敬重身边的每一个人，也会得到别人的尊重，从而树立自己的威望。如果不庄重、不严肃、不认真，学的知识也不牢固。德行之中要注重忠信，做事竭尽全力叫“忠”，对人说话算数叫“信”。如是，便会赢得别人的敬重，威严随之而来；做学问自然也能竭尽全力、用心专一，学有所成。君子交友要注重品德，忠诚信实为要，志不同不相为谋，类聚群分。知错就改也是君子重要的品格。“人非圣贤，孰能无过”，关键在于能改。人能正视并改正自己的错误实际上是在超越自我，这往往需要极大的勇气与毅力，如果能像子路那样闻过则喜，知错就改，何愁不能达到“复圣”颜回的“不迁怒，不贰过”（《雍也》）之境界？

1.9

曾子曰："慎终[1]追远，民德归厚矣。"

The philosopher Tsang said, "Let there be a careful attention to perform the funeral rites to parents, and let them be followed when long gone with the ceremonies of sacrifice; — then the virtue of the people will resume its proper excellence."

【注释】［1］终：终结，指死亡。

【译文】曾子说："谨慎地对待老人的死丧之事，追念祭祀历代祖先，民众的品德就会趋向敦厚。"

【解读】人固有一死，但生生不息。人们对于过去很容易遗忘。儒家认为，如果对死去的亲人或远祖都能敬重，那么对待活着的人自然是更加关爱，这是一种连锁反应，犹如“多米诺骨牌”效应。“鸦有反哺之义，羊有跪乳之恩”，何况是人？这里所谓“慎终追远”，其实就是培养人们反哺报恩的观念，让人懂得感恩。如果人人都知道感恩，那么民风自然淳朴。儒家重视丧葬，制定了隆重的礼仪和形式，根本目的是在教化活着的人，重在寄托哀思。但在当今社会，有的地方葬礼虽然保留了丧葬形式，内容却已变了味。本来是哀戚之事，却乐舞齐鸣，锣鼓喧天，唱流行歌曲，奔丧者谈天说地，觥筹交错。礼仪的初心模糊了，孝悌的人心也淡漠了。死者若在天有知，定感心寒！

1.10

子禽问于子贡曰[1]：“夫子至于是邦也，必闻其政，求之与？抑[2]与之与？”子贡曰：“夫子温、良、恭、俭、让[3]以得之。夫子之求之也，其诸[4]异乎人之求之与！”

Tsze-ch'in asked Tsze-kung, saying, "When our master comes to any country, he does not fail to learn all about its government. Does he ask his information? Or is it given to him?" Tsze-kung said, "Our master is benign, upright, courteous, temperate, and complaisant, and thus he gets his information. The master's mode of asking information! Is it not different from that of other men?"

【注释】［1］子禽：姓陈，名亢，字子禽。郑玄所注《论语》说他是孔子的弟子，但《史记·仲尼弟子列传》未载此人，故一说子禽不是孔子弟子。子贡：姓端木，名赐，字子贡，孔子的弟子。［2］抑：连词，相当于“或”。［3］温、良、恭、俭、让：温和、良善、恭敬、俭束、礼让。俭，很多人解为节俭、俭朴，欠妥。俭字在此应释为“节制”“俭束”。“温、良、恭、俭、让”是言处事态度，与奢俭无关。《汉语大字典》：“俭，行为约束而有节制。《说文解字·人部》：‘俭，约也。’段玉裁注：‘约者，缠束也；俭者，不敢放侈之意。’《左传·僖公二十三年》：‘晋公子广而俭，文而有礼。’《礼记·乐记》：‘恭俭而好礼者，宜歌《小雅》。’孔颖达疏：‘俭，谓以约自处。’”［4］其诸：相当于“或者”“大概”，表示测度的语气。

【译文】子禽问子贡说：“夫子每到一个国家，必定听得到那个国家的政事。是求来的呢？还是别人主动告诉他的呢？”子贡说：“夫子是靠温和、善良、恭敬、俭束、礼让五种美德得来的。夫子这种求取的方式，大概不同于别人求取的方式吧！”

【解读】“温、良、恭、俭、让”，这是子贡对自己的老师崇拜式的评价，也是中华民族所推崇的传统美德，它沉浸并塑造了中华民族的性格。温和，即温柔敦厚，而不是凶神恶煞般的暴躁。跟这样的人在一起，没有压力，身心通泰，如沐春风，安然自得。“良”即善良，善良的人能让人自然产生一种亲近感，他似乎能抚慰你心灵的创伤，使之平和安详。“恭”就是恭敬、谦恭，而不是傲慢，这让人想到刘慈欣《三体》中的一句话：“弱小和无知不是生存的障碍，傲慢才是。”傲慢是生存的障碍，当然也是人际交往的障碍，但谦恭往往能让你的前方一路坦途。“俭”就是俭束、节制，一个懂得节制的人，必然是一个自律的人、一个有教养的人、一个能受人欢迎的

人。“让”就是礼让、谦让。有着温、良、恭、俭、让的美德，就具有了亲和力与感染力。具有了“温、良、恭、俭、让”五种品质的人，每到一处，周围的人自然就会亲近他，甚至与他交友，向他倾诉，他自然也就会获得大量信息。这也是圣贤不同于普通人的过人之处。古人之言对当今人们的为人处事，也具有启发意义和现实价值。

1.11

子曰："父在，观其[1]志；父没，观其行。三年无改于父之道，可谓孝矣。"

The Master said, "While a man's father is alive, look at the bent of his will; when his father is dead, look at his conduct. If for three years he does not alter from the way of his father, he may be called filial."

【注释】［1］其：指儿子。

【译文】孔子说："父亲在世时，要观察儿子的意念志向如何；父亲死去以后，要观察儿子的行为如何。如果守丧三年之中不改变父亲的处事之道，就可以算是孝了。"

【解读】"三年无改于父之道"，不违父志，这也是一种“孝”。这里的关键字是“道”。“道”应该是父亲合理的基本主张和处事之道。这一句话还有一层隐含意义，是说父亲的主张和处事之道并非都是正确的，继承合理的，去除不好的。儒家学说所讲的孝，不只是管吃、管喝，让父母衣食无忧，真正的孝是“善继其志”（《礼记·学记》），就是善于继承父辈的志向，这才是真正的大孝。

1.12

有子曰："礼之用，和为贵。先王之道斯为美，小大由之[1]。有所不行，知和而和，不以礼节之，亦不可行也。"

The philosopher Yu said, "In practising the rules of propriety, a natural ease is to be prized. In the ways prescribed by the ancient kings, this is the excellent quality, and in things small and great we follow them. Yet it is not to be observed in all cases. If one, knowing how such ease should be prized, manifests it, without regulating it by the rules of propriety, this likewise is not to be done."

【注释】［1］小大由之：小大，指大小事情。由，从。《子罕》篇"虽欲从之，末由也已"，《泰伯》篇"民可使由之，不可使知之"，《雍也》篇"谁能出不由户？何莫由斯道也"，均是

"从"义。之，指"礼之用和为贵"这一原则。

【译文】有若说："礼的运用，以和谐、恰当为贵。先代帝王的治世之道，这一点最好，大小事情，都遵从和谐、恰当用礼的原则。如果有行不通的时候，只知和谐为贵而一味求和，不用礼加以节制，那也是不可行的。"

【解读】礼的施行运用，做到和谐、恰到好处为最可贵。礼"不足"与"过分"，皆不可。倘若恭敬过分，到了"足恭"（过分的恭敬）的程度，见人就点头哈腰，便会遭到"左丘明耻之，丘亦耻之"（《公冶长》）的后果。如果做不到位，比如见到老人或长辈直呼其名，或脱口"哎哎""老头"之类，显然无礼，没教养。儒家重中庸，强调中和，认为能"致中和"，天地万物就能各得其所，达到和谐境界。有若还告诫人们，在追求和的时候，不能为了和而一味求和，做好好先生，和稀泥。这是一种失去礼法节制的“和”，失去了规矩原则的“和”。

1.13

有子曰："信近于义，言可复[1]也；恭近于礼，远耻辱也；因[2]不失其亲，亦可宗也。"

The philosopher Yu said, "When agreements are made according to what is right, what is spoken can be made good. When respect is shown according to what is proper, one keeps far from shame and disgrace. When the parties upon whom a man leans are proper persons to be intimate with, he can make them his guides and masters."

【注释】[1]复：实践、兑现。"复"的本义是"回复"，《周易·泰卦》："无往不复。""言可复"，指诺言可得以实践、履行，即朱熹所说"践言"。[2]因：亲，亲近。汉孔安国解曰："因，亲也。言所亲不失其亲，亦可宗敬也。”（何晏《论语集解》）清刘宝楠《论语正义》解曰：“《诗·皇矣》：‘因心则友。’传：‘因，亲也。’此文上言‘因’，下言‘亲’，变文成义。”

【译文】有若说：“约信符合道义，则诺言可得以实践兑现；恭敬符合礼法，就能远离耻辱；亲近的人中不漏失自己的亲族，那也是可依循的。”

【解读】许诺别人的话符合道义，就能够兑现。不过分许诺，就不会失信于人。生活就是这样，不是什么事情都能答应别人的，“轻诺必寡信”，每个人的能耐有大小之分，即使能耐再大，也满足不了所有人的欲望。如果许诺超出了个人的能耐，需要你托关系、走门路，这不符合法律规定，也不合道义。你若磨不开面皮，受不了诱惑，很容易做出有损公平正义，丧失底线的事情。所以，许诺他人既要看是否符合道义，还要看自己的能力。待人恭敬有礼，就能远离耻辱。人与人之间的关系是相互的，你恭敬对人，别人也会恭敬对你；你轻侮别人，别人也很难尊敬你。

1.14

子曰："君子食无求饱，居无求安，敏于事而慎于言，就有道而正焉，可谓好学也已。"

The Master said, "He who aims to be a man of complete virtue in his food does not seek to gratify his appetite, nor in his dwelling place does he seek the appliances of ease; he is earnest in what he is doing, and careful in his speech; he frequents the company of men of principle that he may be rectified: — such a person may be said indeed to love to learn."

【译文】孔子说："君子，吃饭不要求饱足，居住不要求安逸，做事勤敏，说话谨慎，求教于有才德之人来修正自己，这就可以说是好学的了。"

子曰君子食無求飽居無求安敏於事而慎於言就有道而正焉可謂好學也已

孔子論語句張仲亭書

录《论语》句　张仲亭 书

【解读】本章讲的是君子“好学”的基本要求：食不求饱，居不求安，敏行慎言，见贤思齐。生活中，君子不过多地讲究自己的饮食和居处，他们勤奋敏捷、言语谨慎，经常反省自己，以有道德的人为榜样，用他们的美德来纠正自己、提升自己。不单纯地追求物质享受，只求完善自己的德行。像箪食瓢饮、居陋巷却仍然能自得其乐的颜回，就是好学的榜样。现在不少人一味追求奢侈和安逸，想想舍生取义的先烈，看看今天援疆援藏、支教扶贫的志士，难道不为个人的自私自利、贪图安逸而汗颜吗？饱食非养生，安逸易失志，敬业守信，见贤思齐，我们每一个中华儿女都应该牢记“天下兴亡，匹夫有责”（顾炎武《日知录·正始》）的古训，“不忘初心”，把自己全部的精力放在对社会、对人民有意义的事情上面。

1.15

子贡曰："贫而无谄，富而无骄，何如？"子曰："可也。未若贫而乐，富而好礼者也。"子贡曰："《诗》[1]云：'如切如磋，如琢如磨。'其斯之谓与？"子曰："赐也，始可与言《诗》已矣！告诸往而知来者。"

Tsze-kung said, "What do you pronounce concerning the poor man who yet does not flatter, and die rich man who is not proud?" The Master replied, "They will do; but they are not equal to him, who, though poor, is yet cheerful, and to him, who, though rich, loves the rules of propriety." Tsze-kung replied, "It is said in the *Book of Poetry*, 'As you cut and then file, as you carve and then polish.' The meaning is the same, I apprehend, as that which you have just expressed." The Master said, "With one like Tsze, I can begin to talk about the odes. I told him one point, and he knew its proper sequence."

【注释】［1］《诗》：此诗句引自《诗经·卫风·淇奥》。

【译文】子贡说："贫困却不谄媚，富有却不骄横，怎么样？"孔子说："可以。不过还不如贫困时好学乐道，富有时谦逊好礼。"子贡说："《诗经》说：'像制造骨器玉器那样，反复切磋琢磨。'大概就是说的这种精益求精的意思吧？"孔子说："端木赐呀，从此可以和你谈论《诗经》了，告诉你以往的事，你就能悟知未来的事。"

【解读】本章讲的是如何对待穷和富的问题。孔子教育他的弟子向着贫而乐道、富而好礼的方向努力。子贡是孔子的得意弟子，也是当时富甲天下的商人。子贡本身就是一个乐善好施、富有而不傲慢的人，当他提出"贫而

无谄、富而无骄”的问题时，想必他也觉得自己已经做得很不错了，想得到老师的褒奖。自然，“人穷志短”，人处窘境时难免会气短，阿谀奉承以求帮助；“财大气粗”的富贵之人又难免盛气凌人。这都是一般人正常的心理反应。但仁者止于至善，孔子拿出了更高的标准——贫而乐道，富而好礼。真正的君子，是乐天知命、安贫乐道的。即使贫穷也很快乐，纵然富有却还能好礼，并且用礼来约束自己。这时聪明的子贡没有失落，而是马上明白了，并且能触类旁通、举一反三地谈起了《诗经》。弟子有如此悟性，夫子也乐得合不拢嘴，夸奖起这个爱徒了。学生的求索、思考、悟道，加上老师高屋建瓴的点拨，让我们看到了孔老夫子“得天下英才教育之”的骄傲与惬意。这场景跨越两千多年的时空携清风扑面而来，让人心向往之。

1.16

子曰："不患人之不己知，患不知人也。"

The Master said, "I will not be afflicted at men's not knowing me; I will be afflicted that I do not know men."

【译文】孔子说："不要担心别人不了解自己，要担心的是自己不了解别人。"

【解读】别人不了解你，是别人的事，你自己有水平，有道德，不是做给别人看的。无论别人知不知道，你的水平和道德都在。这么高的水平和道德，别人没机会学习，是别人的错过，遗憾的是别人，不应该是你。你要担心的是不了解别人。首先，不了解别人，你就很难正确对待别人，你就不知道如何和别人相处；其次，你不了解别人的好坏，就不能亲贤人，远小人；再次，当“学而优则仕”的机会来临时，你能走上领导岗位，却无法举荐并任用人才。所以不了解别人，就不懂得用人，自己就变成了一个不明事理、处事糊涂的人。知人就是为了完善自己，与人和睦相处，然后发展自己，时刻准备着，实现自己的人生价值。

为政第二

Book 2. Wei Chang

2.1

子曰："为政以德，譬如北辰，居其所而众星共[1]之。"

The Master said, "He who exercises government by means of his virtue may be compared to the north polar star, which keeps its place and all the stars turn towards it."

【注释】[1] 共(gǒng)：同"拱"。拱卫，环绕。

【译文】孔子说："当政者用道德来治理国政，就好像北极星安居其所，而众星就井然有序地环绕着它。"

【解读】孔子提倡德治，希望每一个统治者都能够身正为范。在古人眼里，北极星在茫茫夜空中位置恒定，星光明亮，所有的星辰都

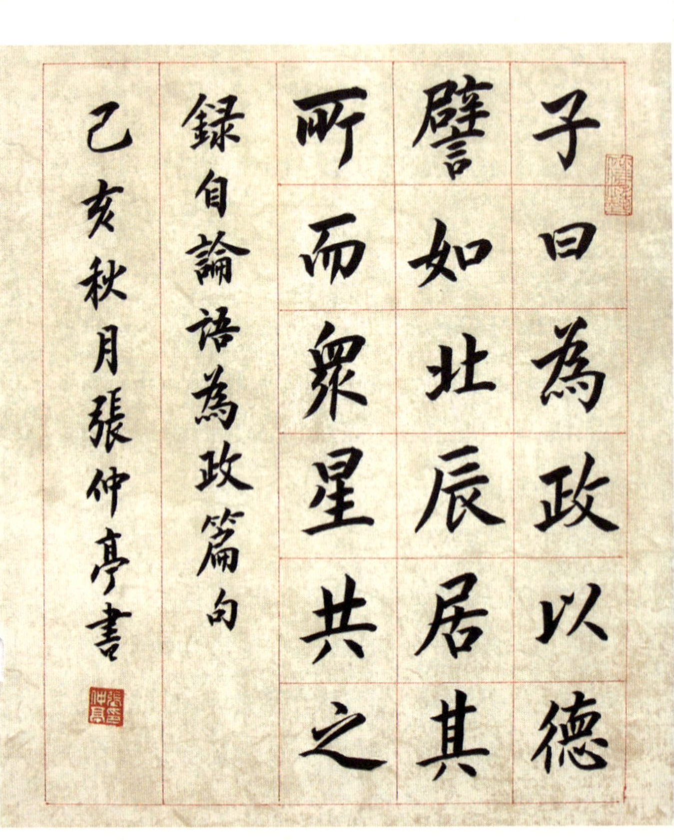

录《论语》句　张仲亭　书

拱卫着它，犹如德高望重的尊者。道德虽然无形，却具有无穷的感召力，所以孔子希望统治者为政以德，以德服人，以德化人。传说，周公即使面对一具无主朽骨，都让人择地埋葬，可见其德行之厚，故能得到天下百姓爱戴。

2.2

子曰："《诗》三百，一言以蔽[1]之，曰'思无邪'。"

The Master said, "In the *Book of Poetry* are three hundred pieces, but the design of them all may be embraced in one sentence 'Having no depraved thoughts.'"

【注释】［1］蔽：遮蔽、遮盖，引申为概括。

【译文】孔子说："《诗经》三百篇，用一句话来概括它，就是'思想纯正'。"

【解读】《诗经》三百篇为什么"思无邪"呢？因为其包罗万象，隐喻哲理，雅俗共赏，篇篇都是真情流露。孔子之所以推崇《诗经》，是因为无论为政者还是想出仕者通过读《诗经》都可以陶冶性情，明白事理之故。暴躁的人变得温柔，粗野的人学得文雅，自私的人懂得分享，奸邪的人明晓廉耻。

2.3

子曰："道[1]之以政，齐[2]之以刑，民免而无耻；道之以德，齐之以礼，有耻且格[3]。"

The Master said, "If the people be led by laws, and uniformity sought to be given them by punishments, they will try to avoid the punishment, but have no sense of shame. If they be led by virtue, and uniformity sought to be given them by the rules of propriety, they will have the sense of shame, and moreover will become good."

【注释】［1］道：同"导"。［2］齐：整治，整顿。［3］格：正。有些《论语》注解书将"格"字释作"来也""至也""革""恪""区分""格除""人格"等，今不从。《辞源》："格：纠正。《论语·为政》：'有耻且格。'"《汉语大字典》："格：正，纠正。清吴善述《说文广义校订》：'制器者以木为法，所以正不正者曰格。'"《孟子·离娄上》："惟大人能格君心之非。"人有耻辱感，才能格其非心，才能正其不正，可见，释"格"为"正"胜于其他诸说。

【译文】孔子说："用政令教导民众，用刑法整顿民众，民众往往就会逃避制裁而无耻辱感；用道德教导民众，用礼仪整顿民众，民众就会有知耻之心而自觉纠正不良思想行为。"

【解读】本章是在谈治国理政是依法还是以德的问题。如果用政令教导、刑法整顿民众，往往会出现"上有政策，下有对策"的局面，民众会想方设法逃避法律的制裁，而后沾沾自喜，没有半点负罪之感。如果用道德教化加以礼法约束民众，人们就会明白是非，知道对错，既知其然，又知其所以然。这就是德礼教化的作用。于今而言，我们既要有道德底线，也要有法律底线，更要讲人文关怀。

2.4

子曰："吾十有五而志于学，三十而立，四十而不惑，五十而知天命[1]，六十而耳顺[2]，七十而从心所欲，不逾矩。"

The Master said, "At fifteen, I had my mind bent on learning. At thirty, I stood firm. At forty, I had no doubts. At fifty, I knew the decrees of Heaven. At sixty, my ear was an obedient organ for the reception of truth. At seventy, I could follow what my heart desired, without transgressing what was right."

【注释】［1］天命：古人把天当作神，称天神的意旨为天命。也指自然规律。［2］耳顺：入耳之言皆顺熟。人生六十，闻见既多，无论闻见何语何事，皆已习惯，没有惊讶生涩之感。

【译文】孔子说："我十五岁立志于学习，三十岁能够立足于社会（具备了自立能力），四十岁能不被纷繁的事物所迷惑（具备了辨惑能力），五十岁认识了自然的、社会的、人生的规律，六十岁入耳之言皆顺熟，七十岁能随心所欲，却不会超越规矩。"

【解读】本章流传甚广，特别是几个表示年纪的文雅之称：不惑之年、天命之年、耳顺之年。其实我们更应该将其看成一份浓缩孔子一生的简历。"路漫漫其修远兮"，成就梦想不是一朝一夕的事情，我们需要有"活到老，学到老"的精神，在不断的追梦过程中上下求索。孔老夫子这一浓缩一生的箴言提醒我们，人生不同的阶段需要这样的几个关键词：学习、立业、不惑、乐天安命、宠辱不惊、从心所欲。"从心所欲不逾矩"，规矩总让人感到束缚，但没有规矩的自由是不存在的。孔子给了我们修炼的途径——功到自然成，

孔子谈顺天知命　韦辛夷 绘

安分守己，并从中获得心理上的愉悦，至此就进入了一种崇高的境界。不同的年纪该有不同的阅历和风采，顺天知命从容一生。当然，我们要一生学习，知人知己，顺遂天道，追梦一生，则人生无悔！

2.5

孟懿子[1]问孝。子曰："无违。"樊迟[2]御，子告之曰："孟孙问孝于我，我对曰，'无违'。"樊迟曰："何谓也？"子曰："生，事之以礼；死，葬之以礼，祭之以礼。"

Mang I asked what filial piety was. The Master said, "It is not being disobedient." Soon after, as Fan Ch'ih was driving him, the Master told him, saying, "Mang-sun asked me what filial piety was, and I answered him, — 'not being disobedient.' " Fan Ch'ih said, "What did you mean? " The Master replied, "That parents, when alive, should be served according to propriety; that, when dead, they should be buried according to propriety; and that they should be sacrificed to according to propriety."

【注释】［1］孟懿子：姓仲孙，名何忌，谥号

“懿”，鲁国大夫。[2]樊迟：名须，字子迟，孔子的弟子。

【译文】孟懿子问什么是孝。孔子说：“不要违背。”弟子樊迟为孔子驾车，孔子告诉他说：“孟孙问孝于我，我回答说，‘不要违背’。”樊迟问道：“这话是什么意思？”孔子说：“父母活着的时候，按照礼的要求服侍他们；死了以后，按照礼的要求安葬他们，按照礼的要求祭祀他们。”

【解读】本章的关键字眼是“无违”，孔子所强调的“无违”，就是不违背孝道之礼。对待父母，无论是健在还是过世，都要按孝道的礼数来做。父母在世，尊敬顺从，精心奉养；父母过世，依礼安葬，定时祭祀，竭尽孝道之心。

2.6

孟武伯[1]问孝。子曰:“父母唯其疾之忧。”

Mang Wu asked what filial piety was. The Master said, “Parents are anxious lest their children should be sick.”

【注释】［1］孟武伯：孟懿子的儿子，名彘，谥号“武”。

【译文】孟武伯问什么是孝。孔子说：“对于父母，唯有他们身上的疾病最令人担忧（因为疾病能导致父母痛苦和死亡）。”

【解读】对于孟武伯的问孝，孔子以日常生活中常规的尽孝作答。随着年岁的增长，父母的身体会时不时地出现一些状况，所以担忧父母生病也是一种孝。当父母偶有小恙，做子女的就要勤快一些了，不仅要担心父母因为疾病引起的不适、痛苦，还要去嘘寒问暖，请医拿药，盼着父母能早日康复。如果父母生了大病，做子女的甚至要衣不解带，侍奉在病床前。

2.7

子游[1]问孝。子曰:“今之孝者,是谓能养。至于犬马,皆能有养;不敬,何以别乎?”

Tsze-yu asked what filial piety was. The Master said, “The filial piety of nowadays means the support of one's parents. But dogs and horses likewise are able to do something in the way of support; without reverence, what is there to distinguish the one support given from the other?”

【注释】[1]子游:姓言,名偃,字子游。吴国人。孔子的弟子。

【译文】子游问什么是孝。孔子说:“现在有些人所认为的孝,就是能够养活父母。可是,连狗、马等都能够做到长幼间的相互养活。作为人,如果在养活父母的时候做不到‘敬’,

那与狗、马等牲畜有何区别？”

【解读】“孝”，不仅仅是能够让父母吃饱穿暖那么简单，照顾好父母主要在一个“敬”字。我们都知道“乌鸦反哺”的佳话，连动物都能够养活自己的父母，如果人在养活父母的时候做不到尊敬、感恩，那么与牲畜何异？孔子这段话对如今很多对父母不敬，甚至恶语相向者，可谓是当头一棒，“一言惊醒梦中人”。不少做子女的体会不到老人的心理感受，认为对待父母只要物质上得到满足，能吃好、喝好就行，就算尽了孝道。可曾想父母想要的是情感上的慰藉，人与动物的区别就在于此。

因此，曾子把尊敬父母视为大孝，他说：“大孝尊亲，其次不辱，其下能养。”（《大戴礼记·曾子大孝》）尊敬父母，是大孝；次一等来说，就是不辱没父母，不做恶事，不给父母落骂名；赡养父母，供父母衣食，是孝的底线，是必须要做到的。

2.8

子夏[1]问孝。子曰："色难。有事弟子服其劳，有酒食先生馔[2]，曾[3]是以为孝乎？"

Tsze-hsia asked what filial piety was. The Master said, "The difficulty is with the countenance. If, when their elders have any troublesome affairs, the young take the toil of them, and if, when the young have wine and food, they set them before their elders, is THIS to be considered filial piety?"

【注释】［1］子夏：姓卜，名商，字子夏。卫国人（一说晋国人）。孔子的弟子。［2］馔（zhuàn）：吃喝，食用。［3］曾（zēng）：岂，难道，表示反问。

【译文】子夏问什么是孝。孔子说："对父母长期地保持和颜悦色的态度最难。有事情，子弟们代替父兄做，有酒食，让父兄先食用，难道这就可以认为是孝了吗？”

【解读】本章承接上一章讲的是尽孝。孝不但要有一颗敬心，还要外化于面容，长期和颜悦色地对待父母，这可算是孝的最高境界。在现实生活中，一般情况下，我们面对外人即便是心情不好，也能露出礼貌的微笑。而回到家中面对父母，常常急躁不安，这虽然并不是你内心不孝，但你的孝心也因此大打折扣。孝心常体现在细节处，常怀黄香温席之心，感慨彩衣娱亲的良苦用心，以和颜悦色的态度温暖父母心，定可使父母享受天伦之乐。

2.9

子曰："吾与回言终日，不违如愚。退而省其私，亦足以发。回也不愚。"

The Master said, "I have talked with Hui for a whole day, and he has not made any objection to anything I said; — as if he were stupid. He has retired, and I have examined his conduct when away from me, and found him able to illustrate my teachings. Hui! —He is not stupid."

【译文】孔子说："我与颜回谈论一整天，他却始终不提违拗意见，就好像是一个愚笨之人。退走后观察他私下里的言行，发现他完全能够理解发挥我的看法。颜回并不愚笨啊。"

【解读】这一章是孔子对自己最得意的学生颜

回的含蓄称赞。“不违”，孔子把它推广开讲弟子对待老师的态度。颜回像敬顺父母一样敬顺孔子，从来不违拗不质疑，默默沉思如同愚人。但孔子知道，颜回之愚，是大智若愚。他不仅能虚心聆听老师的教诲，而且能够反躬自省，全面理解发挥老师的看法。举一隅而以三隅反，有继承、有发扬、有创新，这样的学生怎能不让老师倍感欣慰呢？

2.10

子曰："视其所以[1]，观其所由[2]，察其所安。人焉廋[3]哉？人焉廋哉？"

The Master said, "See what a man does. Mark his motives. Examine in what things he rests. How can a man conceal his character? How can a man conceal his character?"

【注释】[1]所以：指原因、情由。视其所以，也就是看他为什么要这么做。[2]所由：即经由，经从，经历。观其所由，就是看他做事情从开始到当前所经由的过程。何晏《论语集解》解曰："由，经也。言观其所经从也。"皇侃《论语义疏》解曰："由者，经历也。"[3]廋（sōu）：隐藏。

【译文】孔子说："看他做事的动机、原因，观察他做事情从开始到当前所经由的过程，考察他事情做完后心情安定、满意于哪些方面，这样，人的真正面目怎么能隐藏的了呢？人的真正面目怎么能隐藏的了呢？”

【解读】本章谈的是教人识人。人生在世，与人交流，会有意无意地戴着各种面具，让你难见庐山真面目。孔子告诉我们，真正认清一个人需要三步，看动机，看过程，看态度。看一看他为什么做，考察他做的过程，判断他的志向。如此一来，就容易看清一个人的真实面目了。

2.11

子曰：“温故而知新，可以为师矣。”

The Master said, “If a man keeps cherishing his old knowledge, so as continually to be acquiring new, he may be a teacher of others.”

【译文】孔子说：“温习旧知识，获知新知识，就可以做老师了。”

【解读】温故，就是温习以往所学；知新，就是再求新知。《辞源》释“温故知新”曰：“温习旧业，增加新知。”《中庸》郑玄注曰：“温，读如燖温之温，谓故学之孰矣，后时习之，谓之温。”皇侃《论语义疏》曰：“温，温燖也。故，谓所学已得之事也。所学已得者，则温燖之，不使忘失，此是月无忘其所能也。新，谓即时所学新得者也。知新，谓日知其所亡也。

若学能日知所亡，月无忘所能，此乃可为人师也。”温故，是为了巩固旧时所学的知识；知新，是不断地追求新知识，接受新事物，发现新问题，解决新问题，以适应时代的发展。这样，知识越积越厚，博学多闻，且善于知新创新，便能成为一个合格的老师。

2.12

子曰："君子不器。"

The Master said, "The accomplished scholar is not a utensil."

【译文】孔子说："君子不可像器皿一样用途单一，应多才多艺。"

【解读】孔子所谓君子不器，意在说明君子不应囿于一技之长，应该具备多种才能，努力做一个知识广博的通才。这无疑是孔子对"志于道"的君子的期许，也是对君子的高标准、严要求。既然君子以齐家、治国、平天下为己任，那又怎能甘心做一个只懂一两门技艺、只求发财致富的"器"呢？"一个有德之人，既有多种才能，又有主体意识，且能主动进取，那么，他对人类社会的作用是巨大的。"（高

尚举《论语误解勘正》）于今而言，我们更应胸怀大志，放眼天下，广泛汲取，努力提高自己、完善自己，让自己的人生更丰富多彩，成为社会的有用之才。

2.13

子贡问君子。子曰:“先行其言而后从之。”

Tsze-kung asked what constituted the superior man. The Master said, “He acts before he speaks, and afterwards speaks according to his actions.”

【译文】子贡问怎么做才是君子。孔子说:“先做后说。”

【解读】君子应“敏于行而慎于言”,不但说到做到,更应该让事实证明。少夸海口,多办实事,让你的身影经常出现在第一线,比得过任何誓言。

2.14

子曰："君子周而不比[1]，小人比而不周。"

The Master said, "The superior man is catholic and no partisan. The mean man is partisan and not catholic."

【注释】［1］周：合。比：私相亲也。

【译文】孔子说："君子普遍团结而不只与个别人私相亲密，小人只与个别人私相亲密而不广泛团结。"

【解读】讲团结还是乱勾结，这是永恒的命题。君子讲的是道义，公心对人，心意相通地走在一起，靠的是志同道合。君子之交，为的是天下苍生。蝇营狗苟、结党营私，奔的是利益，做的是小人勾当。

2.15

子曰："学而不思则罔[1]，思而不学则殆[2]。"

The Master said, "Learning without thought is labour lost; thought without learning is perilous."

【注释】［1］罔：通"惘"，迷惘。《辞源》："罔：迷惑。通'惘'。"《汉语大字典》："罔：通'惘'，迷惑无知貌。"［2］殆：倦怠，懈怠。很多《论语》注解书将"殆"释作"危险"，欠妥，"思而不学"能有多大危险呢？

【译文】孔子说："只学习而不思考就会迷惘，只思考而不学习就会倦怠。"

【解读】学习能增加新的知识和智慧，在这个过程中不可避免地会遇到不解的问题，如果

不加以思考分析，就会越学越困惑，越学越糊涂。轻则像迷恋“茴”字有几种写法的孔乙己，贻笑大方；重则像纸上谈兵的赵括，让自己陷入危险的境地。所以学习要思考，就像吃饭要消化一样。当然，思考本身也不能代替学习，一味地空想、瞎想，最终只能是精神倦怠而一无所得。学习了，思考了，还有疑惑，大概是因为自己的知识储备不够，还应该再去看书学习。“学愈博则思愈远”（王夫之《四书训义》），学习和思考就如一副弓箭，谁也离不开谁，拉开的学习之弓越是饱满，射出的思考之箭就会越高远。

2.16

子曰："攻乎异端，斯害也已。"

The Master said, "The study of strange doctrines is injurious indeed!"

【译文】孔子说："攻击不同于自己的学说，那反而是有危害的。"

【解读】儒家具有包容精神，不赞同把不同于自己的观点视为异端邪说而攻击之。这个世界本来就是丰富多彩、多元化的，"海纳百川，有容乃大"，要抱着虚心听取和认真思索的态度加以对待。容纳乃至容忍别人的观点才是"和而不同"的君子，这样不仅可以壮大自己，还能有益于别人。

2.17

子曰："由[1]！诲女[2]知之乎？知之为知之，不知为不知，是知也。"

The Master said, "Yu, shall I teach you what knowledge is? When you know a thing, to hold that you know it; and when you do not know a thing, to allow that you do not know it; — this is knowledge."

【注释】［1］由：仲由，字子路，又称季路。孔子的弟子。［2］女（rǔ）：汝，你。

【译文】孔子说："仲由！我教诲你的，你知道了吗？知道就是知道，不知道就是不知道，这才是真正的明智。"

【解读】正视自己的"不知"，才能进步。孔子曾说："吾有知乎哉？无知也。有鄙夫问于我，空空如也。我叩其两端而竭焉。”（《论语·子罕》）孔子谦虚，为证实自己无知，特举一例：一个浅陋之人来求教，我心里空空的，答不上来，只是问了问事情的始末就算完了。天下的知识如海洋，再有学问的人，掌握的知识也只能是沧海一粟。

2.18

子张学干禄[1]。子曰："多闻阙疑，慎言其余，则寡尤[2]。多见阙殆[3]，慎行其余，则寡悔。言寡尤，行寡悔，禄在其中矣。"

Tsze-chang was learning with a view to official emolument. The Master said, "Hear much and put aside the points of which you stand in doubt, while you speak cautiously at the same time of the others: —then you will afford few occasions for blame. See much and put aside the things which seem perilous, while you are cautious at the same time in carrying the others into practice: —then you will have few occasions for repentance. When one gives few occasions for blame in his words, and few occasions for repentance in his conduct, he is in the way to get emolument."

孔子教导子张求取官位俸禄之法　杨文森 绘

【注释】［1］子张：姓颛孙，名师，字子张。陈国人。孔子的弟子。干：求。禄：官俸。［2］尤：过错。［3］阙殆："阙殆"与"阙疑"同义，即遇有疑惑，暂时空着。王引之《经义述闻》说："殆，犹疑也。谓所见之事若可疑，则阙而不敢行也。"

【译文】子张向孔子学习求取官位俸禄之法。孔子说："多听听，保留有疑惑的地方，其余有把握的问题，谨慎地进行谈论，就会减少错误。多看看，保留有疑惑的地方，其余有把握的事情，谨慎地去做，就会减少悔恨。说话减少错误，做事减少悔恨，官位俸禄就在这里面了。"

【解读】弟子到孔子这里来求学，大部分奔着"学干禄"来的。官场是彰显才能的舞台，如何做好本职工作，心安理得地对得起自己的俸禄，谨慎非常重要。多听取，多观察，缜密地思考，谨慎地分析，做到谨言慎行，工作中就不会出现大的纰漏。子张小孔子48岁，此时正是朝气蓬勃、热情昂扬的年纪，说话坦率直接，做事草率毛糙不可避免。《先进》篇孔子评价子张曰"师也辟"，辟，即性格偏僻、偏执、偏激。《子张》篇曾子评价子张曰"堂堂乎张也，难与并为仁矣"，是说子张仪表堂堂，不好相处。所以孔子说出了上边的话，以便使其减少错误和悔恨。

2.19

哀公[1]问曰："何为则民服？"孔子对曰："举直错诸枉[2]，则民服；举枉错诸直，则民不服。"

The duke Ai asked, saying, "What should be done in order to secure the submission of the people?" Confucius replied, " Advance the upright and set aside the crooked, then the people will submit. Advance the crooked and set aside the upright, then the people will not submit."

【注释】［1］哀公：姓姬，名蒋，谥号"哀"。鲁国国君。［2］举直错诸枉：把直的放置在弯曲的之上。错，放置。枉，弯曲。

【译文】鲁哀公问："怎样做才能使民众服从？"孔子回答说："举用正直的人，把他们放置在邪曲的人之上，民众就服从。如果举用邪曲的人，把他们放置在正直的人之上，民众就不服从。”

【解读】任人唯贤，是获得民心的法宝。孔子论政，推重仁德。国家用人，要用推举而来的德才兼备、正直的贤士，这样才能彰显正义，展现出统治者高尚的品德。邪不压正，社会才能充满正能量。反之，如果统治者任人唯亲，为一己之私置人民利益于不顾，则致使民怨沸腾，社会动荡。历史就是如此，唐玄宗前期任用了贤相姚崇、宋璟，迎来了开元盛世，众望所归；后期误用李林甫、杨国忠，引来了安史之乱，众叛亲离。化用诸葛亮的一句名言——亲贤臣，远小人。用人唯直，唯才是举，唯有正气，邪气自不滋生。

2.20

季康子[1]问："使民敬、忠以劝[2]，如之何？"子曰："临之以庄则敬，孝慈则忠，举善而教不能则劝。"

Chi K'ang asked how to cause the people to reverence their ruler, to be faithful to him, and to go on to nerve themselves to virtue. The Master said, "Let him preside over them with gravity; — then they will reverence him. Let him be filial and kind to all; —then they will be faithful to him. Let him advance the good and teach the incompetent; — then they will eagerly seek to be virtuous."

【注释】［1］季康子：即季孙肥，谥号"康"，鲁哀公时正卿。［2］劝：劝勉，努力。

【译文】季康子问："要使民众恭敬、忠诚和勤勉努力，应该怎么办？”孔子说：“当政者对待民众庄重，民众就会恭敬；对待家人乃至天下人孝敬慈爱，民众就会忠诚；举用贤能之人，教育不够贤能之人，民众就会勤勉努力。”

【解读】孔子主张统治者能身体力行，德行天下。当领导要有当领导的样子，无论何时何地面对民生问题都要庄重，不能草率行事，这样就会得到民众的尊敬。朝令夕改，任性而为，是一种不庄重的表现。习以为常，民众哪会信服，更得不到尊敬。对民不恭，民对其则不敬。这里的庄重，不是指一脸的严肃，而是指对待民众的态度。同理，统治者能孝敬慈爱，把天下父母看作自己的父母，把天下子女看作自己的子女，民众自然会忠诚于你；能者上，庸者下，上升的渠道贯通了，民众就会积极进取。总之，可敬之人，人民岂不恭敬？仁行天下，人民岂不忠诚？公正为民，人民岂不勤勉？

2.21

或谓孔子曰："子奚[1]不为政？"子曰："《书》云：'孝乎惟孝，友于兄弟，施[2]于有政。'是亦为政，奚其为为政？"

Some one addressed Confucius, saying, "Sir, why are you not engaged in the government?" The Master said, "What does the *Shu-ching* say of filial piety? 'You are filial, you discharge your brotherly duties. These qualities are displayed in government.' This then also constitutes the exercise of government. Why must there be THAT – making one be in the government?"

【注释】［1］奚：何，为什么。［2］施（yì）：蔓延，延及。施于有政，意思是孝道能影响政治。

【译文】有人对孔子说："您为什么不从事政

治？”孔子说：“《尚书》中说：‘孝呀，惟有孝顺父母，友爱兄弟，方能影响国政。’这也是从事政治了呀，为什么一定要做官才算从事政治呢？”

【解读】《大学》载曰：“欲治其国者，必先齐其家。”儒家认为，行孝悌之义，也是一种从政，并不是唯有做官才是从政，家庭中亦有政治。调理好家庭关系，父慈子孝、兄友弟恭，属于家庭政治，就是“齐家”。“齐家”与“治国”的道理是相通的。在家庭里，个人孝顺父母、友爱兄弟、关爱子女，教育他们懂得生活中与人交往应长幼有序，怀敬畏、守规矩、知礼仪，然后走出家庭在社会上自然能各安其分。如此，上位者礼贤下士，下位者忠诚做事；为师者诲人不倦，为学者学而不厌；为父母者慈严相济，为儿女者孝顺笃学；为商者童叟无欺，为军者英勇无畏。难道这不是政治吗？何必为官？

2.22

子曰：“人而无信，不知其可也。大车无輗[1]，小车无軏[2]，其何以行之哉？”

The Master said, “I do not know how a man without truthfulness is to get on. How can a large carriage be made to go without the crossbar for yoking the oxen to, or a small carriage without the arrangement for yoking the horses?”

【注释】［1］輗（ní）：牛车车辕和衡轭相固定的销子。［2］軏（yuè）：马车车辕和衡轭相固定的销子。

【译文】孔子说：“人如果没有信用，不晓得那怎么可以。就好比牛车没有輗，马车没有軏，它凭什么行走呢？”

【解读】本章用比喻的手法说明讲信用的重要性。古代大车是载货的牛车，小车是马车，如果没有了“輗”“軏”，无法使牲口拉动车子。古人特别注重信用，言而无信者会被人们看不起，人们避而远之，拒绝与其交往。这样的人在社会上没有立足之地，可谓寸步难行。诚信，是每个人做人做事、行走天下的通行证，诚信的程度可以决定通行的长度。

2.23

子张问："十世可知也？"子曰："殷因于夏礼，所损益，可知也；周因于殷礼，所损益，可知也；其或继周者，虽百世可知也。"

Tsze-chang asked whether the affairs of ten ages after could be known. Confucius said, "The Yin dynasty followed the regulations of the Hsia: — wherein it took from or added to them may be known. The Chau dynasty has followed the regulations of Yin: —wherein it took from or added to them may be known. Some other may follow the Chau, but though it should be at the distance of a hundred ages, its affairs may be known."

【译文】子张问："今后十代的情况可以预知吗？"孔子说："殷代沿袭夏代的礼仪制度，增减之处可以知道；周代沿袭殷代的礼仪制度，增减之处可以知道；如有继承周代礼仪制度的，虽传之百代，也是可以知道的。”

【解读】朝代虽更迭，制度的变革与损益，传承与发展，是有继承性的。孔子举夏商周三代因袭损益之承继关系，是说人类社会的基本法则不是恒久不变的。文明是不断发展的，愚昧与落后终究会被历史抛弃。由于历史的局限，孔子认为周代的社会制度最为美好，礼乐制度能使社会有序，人们安居乐业。他预测人们世世代代遵循着周公制定的礼乐制度一往无前，那是多么美好的未来。

2.24

子曰："非其鬼而祭之，谄也。见义不为，无勇也。"

The Master said, "For a man to sacrifice to a spirit which does not belong to him is flattery. To see what is right and not to do it is want of courage."

【译文】孔子说："不是自家的祖先而去祭祀，是谄媚之举。遇见正义的事却不敢去做，这是没有勇气。"

【解读】本章是《为政》的结篇，大概是给为政者的忠告吧！知道自己是干什么的吗？不可为的不为，可为的应该勇敢地站出来。不是自己的祖先却去祭祀，见到权势就去献媚，如果不是利益的驱动，能这样下贱地屈膝谄媚和毫无廉耻地逢迎拍马吗？见到弱者受到侮辱，见到有人落难而不敢前去伸一下援手，见到盗贼行窃而不敢挺身而出加以制止，是懦夫的表现。这些丑陋现象孔子看不惯，我们也看不惯，与君共勉。

八佾第三

Book 3. Pa Yih

3.1

孔子谓季氏[1]：“八佾[2]舞于庭，是可忍也，孰不可忍也？”

Confucius said of the head of the Chi family, who had eight rows of pantomimes in his area, “If he can bear to do this, what may he not bear to do? ”

【注释】［1］季氏：鲁大夫季孙意如，谥平子。［2］八佾（yì）：佾，乐舞行列，纵横人数相同。天子用八佾，诸侯用六佾，大夫用四佾。八佾舞共八列，六十四人。

【译文】孔子评论季孙氏时，说：“他用天子礼乐规格的八佾舞队在自家庭院中演奏乐舞，这种僭越礼法的行为如果能让人容忍的话，还有什么事是不可容忍的呢？”

【解读】此句是流传甚广的名言，后世浓缩成“忍无可忍”的成语。礼的作用就是维护社会秩序，让人各司其职，各安其分，实现社会的和谐、国家的安定。孔子维护周礼，主张一切依礼而行。周礼规定，只有天子才能用八佾之舞，而季氏身为大夫，只能用四佾，可是他竟敢用八佾，这种僭越天子礼乐、犯上作乱的行为，令孔子忍无可忍，予以怒斥。

八佾舞于庭　岳海波 绘

3.2

三家者以《雍》彻[1]。子曰："'相维辟公[2]，天子穆穆'，奚取于三家之堂？"

The three families used the Yung ode, while the vessels were being removed, at the conclusion of the sacrifice. The Master said, " 'Assisting are the princes; — the son of heaven looks profound and grave' — what application can these words have in the hall of the three families?"

【注释】［1］三家：鲁国当政的三卿：孟孙、叔孙、季孙。《雍》：《诗经·周颂》中的一篇。彻：撤除。［2］相：助祭者。辟（bì）公：诸侯。

【译文】孟孙、叔孙、季孙三家祭祖时唱着《雍》诗来撤除祭品。孔子说："《雍》诗云：'助祭的是诸侯，天子主祭端庄肃穆。’这歌词的内容有哪一点适宜于三家祭祖的厅堂？”

【解读】孔子对于“礼崩乐坏”很严重、很普遍的现实，只能发出无奈的指责和愤怒！当鲁国的三家大夫因僭越了天子之礼而沾沾自喜时，是不会想到这样的行为像病毒一样扩散，他们的家臣也在效仿，悄无声息地为其衰败与灭亡种下了祸根。季平子的家臣阳货就是典型代表，不但把持季氏家政，后来还想谋害季平子的儿子季桓子。礼制不尊，上行下效，遗患无穷。

3.3

子曰："人而不仁，如礼何？人而不仁，如乐何？"

The Master said, "If a man be without the virtues proper to humanity, what has he to do with the rites of propriety? If a man be without the virtues proper to humanity, what has he to do with music?"

【译文】孔子说："人如果没有仁德，如何能讲礼？人如果没有仁德，如何能讲乐？"

【解读】仁是礼乐之本。这里的"人"是对执政者而言。一个人有了仁德，才能按照礼乐制度要求来做人办事，并自觉遵守制度的约束。心中没有怀仁的礼乐只不过是一种形式，如上两章三家僭越天子礼乐，即便是礼再周全，乐再完整，也是沐猴而冠。“礼”讲的是守规矩、谦让敬人，“乐”讲的是诗舞融洽、八音和谐，如果一个人没有仁爱、谦恭、和谐的美德，如何能心口如一地讲礼？如何能心静如水地赏乐？

3.4

林放[1]问礼之本。子曰："大哉问！礼，与其奢也，宁俭；丧，与其易[2]也，宁戚。"

Lin Fang asked what was the first thing to be attended to in ceremonies. The Master said, "A great question indeed! In festive ceremonies, it is better to be sparing than extravagant. In the ceremonies of mourning, it is better that there be deep sorrow than a minute attention to observances."

【注释】 ［1］林放：鲁国人，以知礼著称，生卒年不详。［2］易：和易。上句"奢"与"俭"反义相对，下句"易"与"戚"反义相对。汉包咸解曰："易，和易也。言礼之本意，失于奢，不如俭也；丧失于和易，不如哀戚也。"（何晏《论语集解》）

【译文】林放问礼的本质。孔子说："你问的问题意义重大！就一般礼仪说，与其奢侈，还不如俭朴；就丧礼说，与其和易，还不如悲戚。"

【解读】礼需要形式，但不要浪费。礼是由人来实施并作用于社会的，如果或奢或俭都能完成，孔子认为还是从俭。在丧礼上只要诚心表达内心的哀伤，按照丧仪进行就可以了，用不着大讲排场、铺张浪费做给别人看，也不必事无巨细，面面俱到。先秦重视丧葬，制定了隆重的礼仪，人们为了丧葬甚至会倾其所有。当时有些丧事大概只重形式，过程不够严肃，气氛不够肃穆，态度轻慢，不够哀戚，孔子此言就是针对这些情况动情而发的。

3.5

子曰："夷狄[1]之有君，不如诸夏之亡也[2]。"

The Master said, "The rude tribes of the east and north have their princes, and are not like the states of our great land which are without them."

【注释】［1］夷狄：古人对异族的贬称。［2］诸夏：周代分封的中原各个诸侯国，泛指中原地区。义近"华夏"。亡（wú）：通"无"，没有。

【译文】孔子说："夷狄人有国君，还不如华夏无国君显得文明。"

【解读】在孔子看来，文明的差距在于是否有礼乐的教化。虽然当时的诸夏礼崩乐坏，孔子对此痛心疾首，但毕竟经过礼乐的洗礼，诸夏依然先进于其他民族。纵观中国从秦汉到明清的民族大融合的历史，其中不乏入主中原的少数民族，但无一例外地被中原文化所同化，融进了多民族的中华文明。这就是文化的力量与自信。

3.6

季氏旅[1]于泰山。子谓冉有[2]曰："女弗能救[3]与？"对曰："不能。"子曰："呜呼！曾[4]谓泰山不如林放乎？"

The chief of the Chi family was about to sacrifice to the Tai mountain. The Master said to Zan Yu, "Can you not save him from this?" He answered, "I cannot." Confucius said, "Alas! Will you say that the Tai mountain is not so discerning as Lin Fang?"

【注释】［1］旅：祭山曰旅，当时只有天子诸侯有祭祀名山大川的资格，而季氏只是鲁国大夫，所以孔子认为是僭礼行为。［2］冉有：名求，字子有。孔子弟子。［3］救：阻止。［4］曾（zēng）：岂，难道。

【译文】季氏将要祭祀泰山。孔子对冉求说："你不能阻止吗？"冉求回答："不能。"孔子说："哎呀！难道泰山之神还不如林放知礼吗？"

【解读】孔子对僭越之事厌恶至极。季氏准备祭祀泰山之时，冉求正在做季氏的家臣，所以孔子让弟子前去阻止。古代祭祀山神，不但分相应的等级，还讲究献祭人的品德。古人相信品德不高之人，得不到民众的拥护，献上再丰盛的祭品也会散发着血腥之气，山神是不会享用的。季氏屡屡僭越，用八佾舞，唱天子《雍》，学天子祭。所以孔子认为：林放知礼，泰山之神更知礼，不合礼法的祭祀，泰山之神是不会享用的，你季氏祭也无用。

3.7

子曰：“君子无所争，必也射乎！揖让而升，下而饮，其争也君子。”

The Master said, “The student of virtue has no contentions. If it be said he cannot avoid them, shall this be in archery? But he bows complaisantly to his competitors; thus he ascends the hall, descends, and exacts the forfeit of drinking. In his contention, he is still the Chun-tsze.”

【译文】孔子说：“君子没有什么争夺的事，如果有，那也一定是举行射礼比赛的时候吧！相互揖让而登台比试，完毕后下台喝酒，这竞争是君子的竞争。”

【解读】“君子无所争”，并不是指君子只知道谦让什么都不争，见义勇为也是君子的作

乡射礼图　吴泽浩 绘

风，这里是说君子不会在无所谓的事情上分上下、比高低。同时还明白“力争”不如“心竞”的道理，温文尔雅的“射礼”便是君子之间最好的竞争，比的是技术而不伤和气。刀光剑影之争，哪比得上君子之交。谈诗论道，云淡风轻；鼓筝鸣琴，响遏行云；“谈笑有鸿儒，往来无白丁”（刘禹锡《陋室铭》）。濡养的是性情，浸润的是精神，高山流水遇知音，才是真正的君子风范。

3.8

子夏问曰："'巧笑倩[1]兮，美目盼[2]兮，素以为绚[3]兮。'何谓也？"子曰："绘事后素[4]。"曰："礼后乎？"子曰："起予者商也！始可与言《诗》已矣。"

Tsze-hsia asked, saying, "What is the meaning of the passage 'The pretty dimples of her artful smile! The well-defined black and white of her eye! The plain ground for the colours?' " The Master said, "The business of laying on the colours follows (the preparation of) the plain ground." "Ceremonies then are a subsequent thing? " The Master said, "It is Shang who can bring out my meaning. Now I can begin to talk about the odes with him."

【注释】[1]倩：笑靥(yè，酒窝)美好。[2]盼：黑白分明。[3]绚(xuàn)：文彩。即以素为绚，

素为自然美质，在自然美质的基础上施以文彩，岂不更美！［4］绘事后素：即绘事后于素，是说彩绘需以洁白底子为基础。孔子以绘画为喻，意为：美的事物，一定要先具有美质，具备了美质，才配得上文彩。

【译文】子夏问道：“《诗经·硕人》写道：‘美好笑脸的小酒窝多美啊，美丽的眼睛黑白分明啊，就像洁白的底子上绘着彩纹啊。’这说的是什么意思呢？”孔子说：“先有洁白的底子，然后再绘上色彩。”子夏说：“那么礼是不是应在美质之后呢？”孔子说：“启发我的是你卜商啊！从此可以跟你谈论《诗经》了。”

【解读】子夏可能是想引起孔子的关注，问了一个看似傻傻的问题，谁不知道这是描写美女的？属于明知故问。孔子随口而出“绘事后素”。子夏的跳跃式追问“礼后乎”，使孔子深感意外，从语境上看用“大吃一惊”来形容也不过分。那么“绘事后素”与“礼后乎”有什么联系呢？原来它们同属于“文”与“质”的话题。对于“绘事后素”，绘是文，素是质；说到礼的应用，人是质，礼是文。孔子说：“质胜文则野，文胜质则史。文质彬彬，然后君子。”子夏能从《诗经》联想到礼，认识到人只有做到内在的质与外在的礼相匹配，才能展现出文质彬彬的君子风采。这怎能不让孔子欣慰呢？

3.9

子曰："夏礼吾能言之，杞不足征也；[1]殷礼吾能言之，宋不足征也。文献[2]不足故也，足则吾能征之矣。"

The Master said, "I could describe the ceremonies of the Hsia dynasty, but Chi cannot sufficiently attest my words. I could describe the ceremonies of the Yin dynasty, but Sung cannot sufficiently attest my words. They cannot do so because of insufficiency of their records and wise men. If those were sufficient, I could adduce them in support of my words."

【注释】［1］杞（qǐ）：杞国，夏禹后代东楼公所建，故城在今河南杞县。下文中的"宋"，指宋国，商纣王的庶兄微子启所建，地处今河南商丘。征：证也。证验，证明。［2］文献：

文指典籍，献指通晓典籍的贤人。

【译文】孔子说："夏代的礼法，我能够讲得出，但他的后代杞国不足以证明。殷代的礼法，我能够讲得出，但他的后代宋国不足以证明。这是因为两个后嗣之国流传下来的典籍和通晓典籍的贤人不够，如果足够的话，那么我就能用来证明夏商之礼了。"

【解读】本章是在谈研究历史不仅需要掌握全面而丰富的文献典籍，还需要有通晓历史典故的贤人。这里谈到的"杞人忧天"的"杞"国和"仁义之师"的"宋"国分别是夏、商后裔建立的小诸侯国。由于历史更迭，周朝建立后受礼乐制度的同化，两个国家对祖上的文化典籍乃至文化习俗保留不多，加之已经没有人专注于这方面的整理，所以不足以证明夏商之礼了。这个例子既让我们看到孔子的遗憾，也让我们认识到了还原历史真相过程中历史文献的重要性。孔子严谨治史、实事求是的态度也值得我们后人学习。

3.10

子曰："禘自既灌而往者[1]，吾不欲观之矣。"

The Master said, "At the great sacrifice, after the pouring out of the libation, I have no wish to look on."

【注释】[1]禘(dì)：祭名，天子在祖庙的大祭。灌：酌酒浇地。

【译文】孔子说："禘祭的礼仪，从第一次献酒以后，我就不想看了。"

【解读】本章用"不欲观之"表明了孔子对鲁国禘祭的态度。孔子是提倡敬重地祭祀祖先的，他为何半途而退呢？历来众说不一。禘祭是最为隆重的大祭之礼，只有天子才能举

行。周成王曾因周公旦对周朝有过莫大的功勋,特许他举行禘祭,所以鲁国便有了“禘”礼。依礼制，除了在太庙里祭祀祖先外，禘者还要向祖先汇报政绩、反思过错，然后商讨国家大计。而此时鲁国的禘祭，失去了原有的本意，只是徒有形式而已，这让孔子很失望，因而产生了弃观的念头。

3.11

或问禘之说。子曰：“不知也。知其说者之于天下也，其如示诸斯乎！”指其掌。

Some one asked the meaning of the great sacrifice. The Master said, “I do not know. He who knew its meaning would find it as easy to govern the kingdom as to look on this ” — pointing to his palm.

【译文】有人问禘祭的说法。孔子说：“不知道。但知道禘祭之礼的人，对于了解天下事来说，就好像把东西摆在这里一样容易吧！”边说边指着自己的手掌。

【解读】禘祭的氛围不单是庄重肃穆，重要的是禘者怀有一颗仁慈的敬畏之心，敬畏祖先，更敬畏自己的权力。他应胸怀天下，尽心尽力地恪守自己的职责，按照礼制规范自己的行为来教化民众。但对于当时的禘礼，孔子似乎很生气，他认为禘者没有达到禘者应有的品德，不配做禘者。孔子心里很明白，只是不愿意说。成语“了如指掌”源于此章。

3.12

祭如在，祭神如神在。子曰：“吾不与祭，如不祭。”

He sacrificed to the dead, as if they were present. He sacrificed to the spirits, as if the spirits were present. The Master said, “I consider my not being present at the sacrifice, as if I did not sacrifice.”

【译文】祭祖先就好像祖先真的在眼前，祭神灵就好像神灵真的在眼前。孔子说：“我不亲自参与祭祀，祭了也如同没祭。”

【解读】本章反映了孔子的鬼神态度：要想祭鬼神的话，就要相信鬼神真在那里。自己不能或不想亲自参与的祭祀，让别人代祭的话，还不如不祭。孔子主张诚实，不要自欺，祭

鬼神就要相信鬼神存在；如果不相信鬼神存在，那就不要祭祀。

孔子是否相信有鬼神？《论语》中有几次谈到鬼神，如《雍也》篇子曰：“敬鬼神而远之。”《先进》篇：“季路问事鬼神。子曰：‘未能事人，焉能事鬼？’”不事鬼神，实际上就是“远之”，不迷信它。《述而》篇：“子不语怪力乱神。”鬼神很虚幻，信则有，不信则无，说不清道不明，求助它于事无补，迷信它对人类无益，因此孔子很少谈论它。这反映了孔子客观务实的智者态度。

3.13

王孙贾[1]问曰："与其媚于奥[2]，宁媚于灶[3]，何谓也？"子曰："不然。获罪于天，无所祷也。"

Wang-sun Chia asked, saying, "What is the meaning of the saying, 'It is better to pay court to the furnace than to the southwest corner?'" The Master said, "Not so. He who offends against Heaven has none to whom he can pray."

【注释】［1］王孙贾：卫国大夫。［2］奥：室之西南角叫奥，室制以奥为尊。古人认为此处有神，地位尊贵。［3］灶：灶神。古人认为灶神的地位低于奥神。

【译文】王孙贾问道："与其献媚于一室之主的奥神，宁可献媚于比他低下的灶君，这是什么意思？”孔子说：“不对。如果得罪了上天，那祈祷什么神也没有用。”

【解读】奥，指奥神；灶，指灶神。这里，“奥”是喻指君王，“灶”是喻指权势人物。君王位尊，尊为天子，所以孔子说“获罪于天，无所祷也”。如此理解，符合孔子尊君王抑权臣的礼制思想。关于王孙贾如此问孔子的用意，杨朝明《论语诠解》认为：“当灵公之时，政权操于南子、弥子瑕之手。此应为王孙贾向孔子请教应如何在卫国政局中自处，盖王孙贾为周朝王者之孙，仕于卫乃客卿，所以有不安之意。”言之有理，可从。李泽厚《论语今读》译曰：“王孙贾说：‘与其巴结天王爷，不如巴结灶王爷，这是什么意思？’孔子说：‘不对。如果得罪了天王爷，再怎么祈祷，也是没有用的。’”

3.14

子曰："周监于二代，郁郁[1]乎文哉！吾从周。"

The Master said, "Chau had the advantage of viewing the two past dynasties. How complete and elegant are its regulations! I follow Chau."

【注释】［1］郁郁：文采繁盛。

【译文】孔子说："周朝借鉴了夏、商两代的礼仪制度，多么丰富多彩啊！我遵从周朝。"

【解读】周朝在继承夏、商两个朝代的礼制后，形成了相对完善的礼乐制度。由礼乐制度而造就的礼乐文化，令孔子心神向往，羡慕不已，身心沐浴其中，心旷神怡。但现实的情况，也只能令人感叹！

3.15

子入大庙，每事问。或曰：“孰谓鄹人[1]之子知礼乎？入大庙，每事问。”子闻之，曰：“是礼也。”

The Master, when he entered the grand temple, asked about everything. Some one said, “Who will say that the son of the man of Tsau knows the rules of propriety! He has entered the grand temple and asks about everything.” The Master heard the remark, and said, “This is a rule of propriety.”

【注释】 [1] 鄹（zōu）人：鄹：孔子出生地，在今曲阜东南。鄹人，指孔子之父叔梁纥(hé)。

【译文】 孔子进入太庙，每件事都要问一问。有人说：“谁说鄹人叔梁纥的儿子懂得礼呢？进入太庙，每件事都要问。”孔子听到这话，说：“这正是礼啊。”

【解读】这为什么是礼呢？懂礼之人就是要有谦虚恭敬的好问态度，孔子向老子问礼是礼，孔子入太庙问规矩、问祭祀礼仪是在虚心学习，印证所知，当然也是礼。毛泽东在《反对本本主义》一文中谈到“学个孔夫子的‘每事问’”，希望大家要向孔子学习这种谦虚、扎实调查研究的治学态度。“好问则裕”，圣人无常师，学习无处不在，请教无时不在，勤学好问成就了一个博学的孔子，同样，勤学好问也会成就我们精彩的人生。

3.16

子曰："射不主皮[1]，为力不同科，古之道也。"

The Master said, "In archery it is not going through the leather which is the principal thing; — because people's strength is not equal. This was the old way ."

【注释】［1］皮：皮革做的箭靶子。

【译文】孔子说："射礼的比箭不以是否穿破箭靶子为主（射中即可），因为每个人的力气大小不同，这是古时的规矩。"

【解读】"射"是六艺之一，不单是练习武艺，一旦上升到"礼"的境界，就成了帮助君子修养品德的方式。《仪礼·乡射礼》曰：

“射以观德，但主于中而不主于贯革。”这规矩说得很明白，君子之争，尚礼不尚力。射箭主要看人的德行，射中即可，不以穿破箭靶为能。孔子这样说，应该是当时有人射穿了箭靶，在炫耀力量。“主皮”之射，有争强好胜之嫌，显得粗鄙无礼，这也是当时一种风气的缩影。这让孔子非常感慨，故方有此论。

3.17

子贡欲去告朔[1]之饩[2]羊。子曰：“赐也！尔爱其羊，我爱其礼。”

Tsze-kung wished to do away with the offering of a sheep connected with the inauguration of the first day of each month. The Master said, “Tsze, you love the sheep; I love the ceremony.”

【注释】［1］告朔（shuò）：颁告朔日，确定历法。朔：夏历每月初一。［2］饩（xì）：指祭祀献上的活牲。

【译文】子贡想免去告朔时杀羊的礼节。孔子说：“端木赐呀！你爱惜那只羊，我爱惜那个礼。”

【解读】依礼制，每年秋冬之季，周天子要把

告朔饩羊　韩新维 绘

来年的历书颁发给各诸侯国。诸侯受书后，便藏入祖庙，每逢初一，要杀一只活羊在祖庙祭祀，然后回到朝廷处理政事，这就是“告朔饩羊”。而此时，鲁国“三桓”主政，一切礼仪流于形式，告朔饩羊只不过应景罢了，所以子贡想免去告朔时杀羊的礼节。孔子却认为如果连这杀羊的礼节也废了，这告朔之礼也就更无实质内容了。这里孔子是在告诫子贡，尊礼容不得半点马虎。

3.18

子曰："事君尽礼，人以为谄也。"

The Master said, "The full observance of the rules of propriety in serving one's prince is accounted by people to be flattery."

【译文】孔子说："服侍君主尽到礼节，别人却以为是在谄媚呢。"

【解读】孔子认为，君尊臣忠，分清尊卑等级，各安其位，各司其职，对于维护礼制，维持社会安定非常重要。事君尽礼，理所当然。如果下位之人对上位之人轻慢无礼，久而久之，必然会引发犯上作乱。有人不理解尊卑礼节的深刻意义，觉得臣下"事君尽礼"就是谄媚君主。孔子认为这种看法是不对的。

3.19

定公问："君使臣，臣事君，如之何？"孔子对曰："君使臣以礼，臣事君以忠。"

The duke Ting asked how a prince should employ his ministers, and how ministers should serve their prince. Confucius replied, "A prince should employ his minister according to the rules of propriety; ministers should serve their prince with faithfulness."

【译文】鲁定公问："君主使用臣下，臣下服侍君主，各应该怎么样？"孔子回答说："君主按照礼来使用臣下，臣下用忠心来服侍君主。"

【解读】君臣之间的关系是相互的，只有君"使臣以礼"，才能获得"臣事君以忠"，倘若君主把臣下视作狗马对待，那么饱受屈辱的臣下也难有忠诚之心。孟子劝诫齐宣王的话发人深省："君之视臣如手足，则臣视君如腹心；君之视臣如犬马，则臣视君如国人；君之视臣如土芥，则臣视君如寇仇。"（《孟子·离娄下》）人与人之间，先要去尊重别人，才有可能收获尊重。

3.20

子曰：“《关雎》，乐而不淫[1]，哀而不伤。”

The Master said, “The Kwan Tsu is expressive of enjoyment without being licentious, and of grief without being hurtfully excessive.”

【注释】[1]淫：过度，过甚。《尚书·大禹谟》：“罔游于逸，罔淫于乐。”

【译文】孔子说：“《关雎》这诗，欢乐而不至过分，哀怨而不太伤情。”

【解读】《关雎》作为《诗经》首篇首章，关乎人性之美，画面明快，意境舒朗，情感质朴、纯净，又略带淡淡的忧愁。这里孔子意在讲中庸之道，哀乐都应该有节制，欢乐不要过分，悲哀切忌伤身，要在情感适度上把握得恰到好处。孔子是在告诫人们要修身守礼，控制情绪，把握分寸。否则，乐极生悲，后悔不及。

3.21

哀公问社于宰我[1]。宰我对曰："夏后氏以松，殷人以柏，周人以栗，曰使民战栗。"子闻之曰："成事不说，遂事不谏，既往不咎。"

The Duke Ai asked Tsai Wo about the altars of the spirits of the land. Tsai Wo replied, "The Hsia sovereign planted the pine tree about them; the men of the Yin planted the cypress; and the men of the Chau planted the chestnut tree, meaning thereby to cause the people to be in awe." When the Master heard it, he said, "Things that are done, it is needless to speak about; things that have had their course, it is needless to remonstrate about; things that are past, it is needless to blame."

【注释】［1］社：土神。此指社主，即土神的牌位。宰我：名宰予，字子我。鲁国人，孔子的弟子。

【译文】鲁哀公向宰我询问社主之事。宰我回答说："夏代用松木，殷人用柏木，周代用栗木，意思是使民众战栗。"孔子听到这话，说："既成的事情不可再解释了，已做了的事情不可再谏止了，已经过去的事情不可再追究了。"

【解读】《说文解字》："社，地主也。《春秋传》曰：'共工之子句龙为社神。'《周礼》：'二十五家为社，各树其土所宜之木。'"古代祭祀土神，要给他立一个牌位，这牌位叫主。

汉孔安国曰："凡建邦立社，各以其土所宜之木。宰我不本其意，妄为之说，因周用栗，便云使民战栗之也。"（何晏《论语集解》）朱熹《论语集注》曰："战栗，恐惧貌。宰我又言周所以用栗之意如此。岂以古者戮人于社，故附会其说与？"孔子对宰我的附会之说不满，故予以含蓄批评和告诫。

3.22

子曰："管仲[1]之器小哉！"或曰："管仲俭乎？"曰："管氏有三归[2]，官事不摄[3]，焉得俭？""然则管仲知礼乎？"曰："邦君树塞门[4]，管氏亦树塞门。邦君为两君之好，有反坫[5]，管氏亦有反坫。管氏而知礼，孰不知礼？"

The Master said, "Small indeed was the capacity of Kwan Chung! " Some one said, "Was Kwan Chung parsimonious? Kwan, " was the reply, "had the San Kwei, and his officers performed no double duties; how can he be considered parsimonious?" "Then, did Kwan Chung know the rules of propriety?" The Master said, "The princes of states have a screen intercepting the view at their gates. Kwan had likewise a screen at his gate. The princes of states on any friendly meeting between two of them, had a stand on which to place their inverted cups. Kwan had also such a stand. If Kwan knew the rules of propriety, who does not know them?"

【注释】[1]管仲：名夷吾，字仲。齐国颍上人。齐桓公之相，帮助齐桓公称霸诸侯。[2]归：指归第，归宿。三归，三处府宅。《论语》此语说管仲不俭，多处府宅，恰证其奢。[3]不摄：不兼职，府第皆有专职管理人员。[4]塞门：门屏，影壁。[5]反坫（diàn）：反爵之坫，在两楹之间。会见宴请邻国君主，互相敬酒后，把空爵反置在坫上，此为周代诸侯宴会之礼。坫，土台。

【译文】孔子说："管仲的器量太小啦！"有人说："管仲不是很节俭吗？"孔子说："管仲有三处府第，管理人员都不兼职，怎么算得上节俭呢？"又有人问："那么管仲懂得礼节吗？”孔子说：“国君门前竖立影壁，管仲也在门前竖立影壁。国君为了两国君主间的友好，堂上设有反爵之坫，而管仲也有反爵之坫。要说管仲懂礼，那还有谁不懂礼？”

【解读】孔子对管仲有好评，也有差评，是客观公正的。管仲有三处府第，而且每个家臣都不兼职，可见他家臣很多，过着奢侈的生活。这与孔子提倡的尚俭格格不入。另外，对于管仲有僭越礼制的行为——竟然和国君一样拥有屏风和酒台，孔子尤其不赞同。是知礼，孰不知礼？既不知节俭，又不懂礼法，管仲的器量怎么能说大呢？但过是过，功是功，管仲在孔子心目中还是功大于过的，他的政治才能和功绩，受到了孔子的充分肯定。

3.23

子语鲁大师乐。曰："乐其可知也：始作，翕如[1]也；从之，纯如[2]也，皦如[3]也，绎如[4]也，以成。"

The Master instructing the grand music master of Lu said, "How to play music may be known. At the commencement of the piece, all the parts should sound together. As it proceeds, they should be in harmony while severally distinct and flowing without break, and thus on to the conclusion."

【注释】[1] 翕（xī）如：盛，形容音乐突起而盛貌。音乐合奏突起，如群鸟振翅，引人入胜，故曰翕如。[2] 纯如：精纯和谐，不杂乱。[3] 皦（jiǎo）如：分明，清晰，即何晏《论语集解》所说的"音节明也"。[4] 绎如：延续不绝，即邢昺《论语注疏》所说

的“其音落绎然，相续不绝也”。

【译文】孔子与鲁国乐官谈论音乐，说道：“音乐，那是可以知晓的：开始演奏，乐声盛起；紧接着，清纯和谐，节奏明快，绵延不绝，最后完成。”

【解读】乐正则人心正，德行正，民风大化则天下和。乐教的本质与礼是相通的。音乐的美育，能陶冶情操，激发情感，带动情绪，集聚人心。有时能催人泪下，撒播爱心，时而给人身心自由，甚至不分种族，不论语言，超越国界。我们的国歌《义勇军进行曲》高亢激越，能让人血脉贲张，热泪盈眶，因为那里面饱含庄严的历史宣告和浓郁的爱国深情；《放牛班的春天》告诉我们人性的春天在哪里，只要是有爱的地方，哪怕是在牢笼里，也会飞扬起春天的旋律；《音乐之声》能让人跨越语言的藩篱，倾心地感受到自由与快乐！

3.24

仪封人[1]请见，曰："君子之至于斯也，吾未尝不得见也。"从者见之。出曰："二三子何患于丧乎？天下之无道也久矣，天将以夫子为木铎[2]。"

The border warden at Yi requested to be introduced to the Master, saying, "When men of superior virtue have come to this, I have never been denied the privilege of seeing them." The followers of the sage introduced him, and when he came out from the interview, he said, "My friends, why are you distressed by your master's loss of office? The kingdom has long been without the principles of truth and right; Heaven is going to use your master as a bell with its wooden tongue."

【注释】[1]仪：卫国边境的小城。封人：掌

守边界的小官。［2］木铎：木舌的铜铃，用于宣传政令。

【译文】卫国仪地边界的守官请求见孔子，说："凡是来到此地的君子，我没有见不到的。"于是随从弟子让他见了孔子。他出来说："你们这些人为什么要担心夫子圣德将要丧亡呢？天下无道很久了，上天将以孔老夫子为木铎来宣示政令，引导民众。"

【解读】孔子是不幸的，在鲁国施政受挫，周游列国十四载，颠沛流离，处处碰壁，"累累如丧家之犬"。但是夫子不改初心，为实现先圣之道席不暇暖，不畏千难万阻，矢志不渝。孔子又是幸运的，仪封人目光如炬，预言孔子将是上天的代言人。与孔子萍水相逢，仅凭一面之交，就成了孔子的神交知己！历史上又多了一段知音佳话，幸甚！历史在诉说着孔子的足迹，也见证着孔子的幸与不幸。

“失之东隅，收之桑榆”，孔子在政治上失意，退而删《诗》《书》，定礼乐，著春秋，薪火相传，终使中华文明传承至今。

3.25

子谓《韶》[1]，“尽美矣，又尽善也”。谓《武》，“尽美矣，未尽善也”。

The Master said of the *Shao* that it was perfectly beautiful and also perfectly good. He said of the *Wu* that it was perfectly beautiful but not perfectly good.

【注释】［1］《韶》：舜时的乐曲。

【译文】孔子评论《韶》乐，“声音美极了，内容也好极了”。评论周武王时的《武》乐，“声音美极了，但内容还不够好”。

【解读】本篇第三章谈到“人而不仁，如乐何”，指出“仁”是礼乐的根本，舜以仁德受禅天下，以仁德治理天下，《韶》乐为反映其仁德而制作，故尽善又尽美，被后世称作“中华第一乐章”。“三月不知肉味”的典故就是孔子在齐国听到《韶》乐后的千古美谈。武王以武力推翻商纣，虽说是正义的，但《武》乐不可避免地沾染了暴力和鲜血，与“仁德”背道而驰，即使乐声铿锵雄壮，称得上是“尽美”，也不能称得上“善”，更不用说是“尽善”了。

3.26

子曰：“居上不宽，为礼不敬，临丧不哀，吾何以观之哉？”

The Master said, “High station filled without indulgent generosity; ceremonies performed without reverence; mourning conducted without sorrow; — wherewith should I contemplate such ways?”

【译文】孔子说：“居上位者不宽容大度，行礼的时候不恭敬严肃，参加丧礼的时候不悲哀，这种样子我怎么看得下去呢？”

【解读】这一章可以看作是对《八佾》的总结，《八佾》篇都是在讲礼崩乐坏。“居上不宽”，统治者欲望无边，“苛政猛于虎”，民不聊生；“春秋无义战”，混乱争战，杀人盈城、盈野，草菅人命。“为礼不敬”，礼仪形式还在，但已经没有了诚敬之心，违礼和僭越之事屡有发生。“临丧不哀”，重仪程、轻内容，哀丧不举。孔子只能无可奈何，深深地叹息，表现出对时局的极大失望。

里仁第四

Book 4. Le Jin

4.1

子曰："里[1]仁为美。择不处仁，焉得知[2]？"

The Master said, "It is virtuous manners which constitute the excellence of a neighborhood. If a man in selecting a residence, do not fix on one where such prevail, how can he be wise? "

【注释】［1］里：本指人居住的地方，如乡里，故里。但此处名词动用，是"居住"的意思。

［2］知：同"智"。

【译文】孔子说："居住于仁厚之乡为美。择居而不住仁厚之乡，怎能算是明智？"

【解读】《荀子·劝学》说："蓬生麻中，不扶而直。"人们自古以来就对环境非常重视。

“孟母三迁”的故事，就是重视环境育人的经典案例。生活环境对人们潜移默化的影响力与塑造性是不可低估的，特别是处于成长时期的青少年，与什么样的人相处和交往非常关键。有仁德的人，举手投足之间透露着谦让、仁爱、友善，与他们在一起，耳闻目染，就能使自己的仁德修养有所提高。

4.2

子曰：“不仁者不可以久处约，不可以长处乐。仁者安仁，知者利仁。”

The Master said, “Those who are without virtue cannot abide long either in a condition of poverty and hardship, or in a condition of enjoyment. The virtuous rest in virtue; the wise desire virtue.”

【译文】孔子说：“不仁的人不可以长久地处于贫困中，也不可以长久地处于安乐中。有仁德的人以行仁为安，有智慧的人以行仁为利。”

【解读】环境对人不仅具有强大的影响，更有巨大的挑战。一个缺少仁德的人，如果长久地处于贫困中，难以用正当的手段来摆脱贫困，往往会为非作歹，铤而走险，违法乱纪。

同样，如果长久处于安乐中，也会自我膨胀，迷失本心。只有坚守仁德的人，才能保持心境的安乐与富足，才能做到“富贵不能淫，贫贱不能移，威武不能屈”。当然，孔子的“仁者安仁”，并不是刻板地要求人们安于现状，不思进取，而是无论在怎样的环境中都坚守仁德的底线。

4.3

子曰：“唯仁者能好人，能恶人。”

The Master said, “It is only the truly virtuous man, who can love, or who can hate, others.”

【译文】孔子说：“只有有仁德的人才能正确地去喜爱人，才能正确地去厌恶人。”

【解读】好恶之心，人皆有之。芸芸众生，千差万别，而仁者心怀大爱，能够明辨是非，掌握了对人的好恶标准和分寸，也就是能正确地对待他人，不以个人的情感、亲疏来区别对待他人。由此可见，一个人的道德修养可以通过对别人的评判标准体现出来。

4.4

子曰："苟志于仁矣，无恶也。"

The Master said, "If the will be set on virtue, there will be no practice of wickedness."

【译文】孔子说："如果一个人立志于行仁，就不会有什么恶行了。"

【解读】一个人立志于行仁，就不会有恶行。这句话也许太绝对，但从中可以感受到仁德对人的约束与引领作用：时时以仁德要求自己，又怎会作恶呢？即便偶有过失，也绝不会是什么伤天害理的事。所以，今天的我们要想"志于仁"，必须在心中种下一颗仁德的"种子"。

4.5

子曰：“富与贵，是人之所欲也，不以其道得之，不处也；贫与贱，是人之所恶也，不以其道得[1]之，不去也。君子去仁，恶[2]乎成名？君子无终食之间违仁，造次必于是，颠沛必于是。”

The Master said, “Riches and honours are what men desire. If it cannot be obtained in the proper way, they should not be held. Poverty and meanness are what men dislike. If it cannot be avoided in the proper way, they should not be avoided.” If a superior man abandon virtue, how can he fulfil the requirements of that name? “The superior man does not, even for the space of a single meal, act contrary to virtue. In moments of haste, he cleaves to it. In seasons of danger, he cleaves to it .”

【注释】［1］得：当为“去”。贫与贱不是人人想“得之”的，应该改为“去之”。［2］恶（wū）乎：疑问词，相当于“何所”“怎么”。

【译文】孔子说：“富有和尊贵，是人人都想得到的，如果不用合乎仁道的正当方式得到它，君子不接受。贫穷和低贱，是人人都厌恶的，如果不用合乎仁道的正当方式摆脱它，君子不摆脱。君子抛掉了仁道，怎么能够成就名声？哪怕是一顿饭的时间君子也不会离开仁道，仓促匆忙时也执着于仁道，颠沛流离时也执着于仁道。”

【解读】本章可以看作是对“仁者安仁”的阐发，谈的是日常生活中对仁德的坚守。道义是做人的标尺。得富贵、去贫贱，是人们的本能欲望，孔子对此非常理解，也尊重人们追求富贵的权利，只不过要通过正当的手段和途径去获取，不能违背道义。君子与小人的区别，就在于是否“以其道得之”。真正的君子，不仅面对富贵与贫贱时坚守道义，在生活中的任何时刻，都不应该放弃对仁德的坚持，降低对自我的要求。即便是一顿饭的工夫，甚或在颠沛流离之时，都应如此。这就将仁德追求融入生活的方方面面中去了，这既是一种严肃的生活态度，也是一种对道德修养的执着。所有渴望提高自己道德境界的人，都需要严格要求自己，使自己具有这种执着的精神。

4.6

子曰："我未见好仁者，恶不仁者。好仁者，无以尚之；恶不仁者，其为仁矣，不使不仁者加乎其身。有能一日用其力于仁矣乎？我未见力不足者。盖有之矣，我未之见也。"

The Master said, "I have not seen a person who loved virtue, or one who hated what was not virtuous. He who loved virtue, would esteem nothing above it. He who hated what is not virtuous, would practise virtue in such a way that he would not allow anything that is not virtuous to approach his person. Is any one able for one day to apply his strength to virtue? I have not seen the case in which his strength would be insufficient. Should there possibly be any such case, I have not seen it."

【译文】孔子说："我没有见过喜好仁德的人和憎恶不仁的人。喜好仁德的人，他行仁的境界是至高无上的；憎恶不仁的人，其行仁的程度仅仅是避免不仁的人影响到自身罢了。有能够在一天时间里把心力全用在践行仁德上的人吗？我没见过精力不够的。大概有这样的人吧，只是我没见到罢了。"

【解读】本章谈论为仁的难易，意在勉励人们行为高尚。孔子说没有见到过"好仁者"和"恶不仁者"，说明当时的社会真的到了人心不古的地步，也可以看出孔子对社会的不满，及心中对好仁者与憎恶不仁者的期盼。仁德是一种崇高的道德境界，闪耀着光辉，人们理应争相追崇。

实际上，无论何时，天下都不乏好仁者和恶不仁者，孔子为何这么说？皇侃《论语义疏》曰："云'我未见好仁者'者，叹世衰道丧，仁道绝也。"孔子深憾爱好仁德、践行仁德的人少，所以才说出这样的惊人之语，其目的是惊醒世人的好仁之心、行仁之意。为使世人好仁、行仁，孔子把好仁、行仁的要求降到了最低：“有能一日用其力于仁矣乎？”继而又说行仁并不难，只要想行仁，没有力不够的。可见孔子教诲、期盼世人好仁行仁的拳拳之心。

4.7

子曰："人之过也，各于其党[1]。观过，斯知仁矣。"

The Master said, "The faults of men are characteristic of the class to which they belong. By observing a man's faults, it may be known that he is virtuous."

【注释】[1]党：类。

【译文】孔子说："人的过错，各属于一定的类型。因此，观察人们的过错，便可知其是否具有仁德了。"

【解读】这也属于观察人的另一"慧眼"吧！通过观察别人所犯过错的性质和类型，大致判定其人品。"物以类聚，人以群分"，品性相近的人，往往会犯类似错误。观察别人的优点，可以判断出他的修养。观察别人的过错，又何尝不能来判定他的仁德修养呢？成语“观过知仁”即出于此。

4.8

子曰：“朝闻道，夕死可矣。”

The Master said, “If a man in the morning hear the right way, he may die in the evening without regret.”

【译文】孔子说：“早晨听到圣人之道实施，即使当晚死去，都可以。”

【解读】本章强调了实施道义的迫切性。孔子将“闻道”与生死联系起来，既点明了生命的价值所在，又可以感受到追求道义的执着，还可以体会到孔子对社会现实极其失望的心情。此语生动诠释了孔子献身道义的牺牲精神。

4.9

子曰："士[1]志于道，而耻恶衣恶食者，未足与议也。"

The Master said, "A scholar, whose mind is set on truth, and who is ashamed of bad clothes and bad food, is not fit to be discoursed with."

【注释】[1]士：士是介于卿大夫与庶民之间的一个阶层。多为有一定知识和技能的人。

【译文】孔子说："士既然有志于行道了，如果还以穿破衣吃粗饭为耻，那么便不能跟他商议大事了。"

【解读】一个斤斤计较于物质享受的人，内心总是被外界的声色犬马所吸引，是不能够真正立志于追求道义的。所以，一个立志于道

《論語》插圖
子曰。士志於道。
而恥惡衣惡食
者。未足與議也。
顏子就是其中
之佼佼者。志於
道。不恥於
一簞食。一瓢
飲在陋巷。
所以人們遇事
常常和他商議
這美乎人品
孔子說士既然有
志於行道如
果還以穿破
衣吃粗飯
為可恥那便不
足以跟他商議大
事了。歲次庚子
之春觀山樓主
永生畫於千佛
山下望山閣並記

士志于道　徐永生 绘

的人，必须能够超脱于外界任何因素的羁绊，获得心灵的自由，才能够真正投入到对道义的追求中。颜子就是其中的佼佼者，“志于道”，不耻于“一箪食，一瓢饮，在陋巷”，所以人们遇事常常和他商议。

4.10

子曰："君子之于天下也，无適[1]也，无莫也，义之与比[2]。"

The Master said, "The superior man, in the world, does not set his mind either for anything, or against anything; what is right he will follow."

【注释】[1]適：通"敵"，敌对。有些版本将"適"简化为"适"，欠妥。"適"字，定州简本《论语》作"无谪也"。谪、適、敵古通。清惠栋《论语古义》曰："郑（玄）本'適'作'敵'，莫音慕，无所贪慕也。栋案：古敵字皆作適。"在《论语》此语中，释"莫"为"亲慕"，与"適（敌对）"对应恰当。[2]比：亲近。

【译文】孔子说："君子对于天下的人，无所谓敌对，无所谓亲慕，只与仁义者相亲近。"

【解读】本章论君子待人态度。此语既可以看出君子日常中对仁德的践行：努力向仁德之人学习，进而提高自己的道德修养；又可以看出他们为人公正、通达，不会偏私。当然，“无适也，无莫也”并不是君子不分敌友，而是以道义的行为准则来对待天下人，不分薄厚，一视同仁。这也就是我们今天常说的“君子对事不对人”。

4.11

子曰：“君子怀德，小人怀土；君子怀刑，小人怀惠。”

The Master said, “The superior man thinks of virtue; the small man thinks of comfort. The superior man thinks of the sanctions of law; the small man thinks of favours which he may receive.”

【译文】孔子说：“君子关心的是道德，小人关心的是土地；君子关心的是法度，小人关心的是恩惠。”

【解读】本章从两个方面比较了君子与小人不同的追求。君子一心重德，怀抱万民，关注国家大事，很少顾及自身利益，体现的是儒家修身治国的宏大精神境界；而小人只关注于自己的田产带来的好处，只有眼前的蝇头

私利，胸无大志。这种人无论身居何位，都不会走出个人的狭小天地，很难拥有宏大的人生格局，甚至会为了追求利益而不择手段。我们每个当代人都应该追求“重德轻利”的品质。

4.12

子曰："放[1]于利而行，多怨。"

The Master said: "He who acts with a constant view to his own advantage will be much murmured against."

【注释】[1]放：通"仿"，依据。

【译文】孔子说："凡事都依据私利行事，就会招来很多怨恨。"

【解读】追求利益是有底线的。如果人们只为私利而行，就会相互倾轧，损人利己的事不可避免地时时发生。结果只能是道德沦丧，社会混乱，人与人之间充满怨恨。这该是一种怎样令人不寒而栗的景象啊！在利益面前我们不应忘记"义之与比"的教导。

4.13

子曰：“能以礼让为国乎？何有？不能以礼让为国，如礼何？”

The Master said, “Is a prince is able to govern his kingdom with the complaisance proper to the rules of propriety, what difficulty will he have? If he cannot govern it with that complaisance, what has he to do with the rules of propriety? ”

【译文】孔子说：“能用礼让治国吗？那有什么难的？不能用礼让治国，又要礼干什么？”

【解读】本章强调礼让。礼是和谐君臣、国民关系的关键，所以孔子一再主张“为国以礼”（《论语·先进》）、“君使臣以礼，臣事君以忠”（《论语·八佾》）。礼让所包含的另一层含义是让贤，即让贤能之人来治国。

孔子认为，要改变春秋时期一些人为争权夺位相互残杀（《太史公自序》载：“春秋之中，弑君三十六，亡国五十二，诸侯奔走，不得保其社稷者，不可胜数。”）的乱象，最好的办法就是倡导礼让。在《泰伯》篇，他把泰伯的让德赞为“至德”：“泰伯，其可谓至德也已矣！三以天下让，民无得而称焉。”由于泰伯的礼让，才成就了文王的兴周大业。

4.14

子曰："不患无位，患所以立；不患莫己知，求为可知也。"

The Master said, "A man should say, I am not concerned that I have no place, I am concerned how I may fit myself for one. I am not concerned that I am not known, I seek to be worthy to be known."

【译文】孔子说："不担心自己没有职位，而应担心自己没有立于其位的本领；不担心别人不了解自己，而应追求可以让人了解自己的德行与才能。"

【解读】本章在于告诫人们怎样立身修德。孔子之所以说没必要担心，是因为真正能够使自己占有一席之地的根本，就是自己的道德修养与才能。人要正确地认知自己，求人莫若求己，与其整天抱怨上天不公、无人赏识，不如反省自己、发愤图强。

4.15

子曰："参乎！吾道一以贯之。[1]"曾子曰："唯。"子出。门人问曰："何谓也？"曾子曰："夫子之道，忠恕[2]而已矣。"

The Master said, "Shan, my doctrine is that of an all-pervading unity." The disciple Tsang replied, "Yes." The Master went out, and the other disciples asked, saying, "What do his words mean?" Tsang said, "The doctrine of our master is to be true to the principles of our nature and the benevolent exercise of them to others, this and nothing more."

【注释】[1]一以贯之：皇侃《论语义疏》曰："道者，孔子之道也。贯，犹统也，譬如以绳穿物，有贯统也。孔子语曾子曰：'吾教化之道，唯用一道以贯统天下万理也。'"[2]忠恕：忠，指尽心为人；恕，指推己及人，将心比心。

【译文】孔子说："曾参啊！我的处世之道有一个基本理念贯穿其中。"曾子说："是。"孔子出去后，其他弟子问道："这话什么意思？"曾子说："先生的处世之道，就是忠恕二字罢了。"

【解读】本章这段对话，可以看出孔子与曾子师生之间的默契。那么何为"夫子之道"？孔子孜孜以求、一以贯之的是"仁"。那么，曾子为什么总结成"忠恕"呢？忠，是由心而发，就是能够忠诚于自己的内心世界。孔子是"人性本善"论者，尽力扩充自己内心的仁善，以"忠"——尽心为人来体现。恕，是心中如愿，但有"忠"的制约，就要将心比心，设身处地地为别人着想。于是，"己所不欲，勿施于人"成为忠恕最好的注解。忠恕实际上就是"仁"的两个方面。

4.16

子曰："君子喻于义，小人喻于利。"

The Master said, "The mind of the superior man is conversant with righteousness; the mind of the mean man is conversant with gain."

【译文】孔子说："君子知晓于仁义，小人知晓于财利。"

【解读】对待义和利的态度是区分君子和小人的"试金石"。君子以仁义为本，小人只追逐利益。在此，需要强调的是，后世很多人据此将"义""利"完全对立起来，这是不符合孔子本意的，否则孔子就不会说"富而可求也"（《述而》）。君子遵循道义，先义后利；小人则不顾道义，因利害义。

4.17

子曰:“见贤思齐焉,见不贤而内自省也。”

The Master said, “When we see men of worth, we should think of equalling them; when we see men of a contrary character, we should turn inwards and examine ourselves.”

【译文】孔子说：“见到贤人就想着和他看齐，见到不贤的人就对照着自我省察。”

【解读】本章指出了提高道德修养的门径。以贤人为榜样，闻善而从，使自己也具备更好的道德修养与学问，进而提高自己；以不贤之人为镜鉴，反观自身是否有类似缺点，知过则改，从而去除不善。人们就是在“学习、反省、提高”的循环中，不断提高自己的道德修养与学问水平的。当然，这首先需要人们具有进取心。

见贤思齐　卢冰 绘

4.18

子曰："事父母几谏[1]，见志不从，又敬不违，劳[2]而不怨。"

The Master said, "In serving his parents, a son may remonstrate with them, but gently; when he sees that they do not incline to follow his advice, he shows an increased degree of reverence, but does not abandon his purpose; and should they punish him, he does not allow himself to murmur."

【注释】[1] 几谏：委婉劝谏。几：隐微，细微。
[2] 劳：忧。

【译文】孔子说："侍奉父母，对待他们的过错应当婉言规劝，看到父母思想上抵触，应当恭敬而不违背，担忧而不怨恨。"

【解读】孔子非常重视孝道，但不同于后世儒者的愚孝。孔子提倡的孝道合乎人性，可操作，可普及，温顺之间见真情。后世之儒所谓“为母埋儿”“卧冰求鲤”等是愚人的把戏。本章所提到的对待父母恭敬的态度，是每个做子女的都应该具备的。子女与父母在人格上是平等的，父母犯错，子女应该婉言劝谏，并耐心帮助父母改正，这才是对父母真正的孝顺。

4.19

子曰："父母在，不远游，游必有方。"

The Master said, "While his parents are alive, the son may not go abroad to a distance. If he does go abroad, he must have a fixed place to which he goes."

【译文】孔子说："老父老母在世，做儿女的不离家远行，如果有要紧事必须远行的话，也要有确定的地方。"

【解读】为什么年老父母健在，子女就不能远行呢？因为那是在出行靠走，通信靠吼的年代，子女如果出门远行，无法随时服侍父母，一旦出现意外，会使父母陷入孤苦无依的悲惨境地。万一需要远行，也要告诉父母确切的去处，以免父母担忧，方便父母召唤。

父母年老体弱的情况下，正是用人的时候，作为子女，最好陪侍在身边，或把老人接到身边。

4.20

子曰："三年无改于父之道，可谓孝矣。"

The Master said, "If the son for three years does not alter from the way of his father, he may be called filial."

【译文】孔子说："如果守丧三年之中不改变父亲的基本主张和处事之道，就可以算是孝了。"

【解读】"三年无改于父之道"，不违父志，这也是一种"孝"。还有一个关键字是"道"。"道"应该是父亲合理的基本主张和处事之道。这一句话还有一层隐含意义，是说父亲的主张和处事之道并非都是正确的，继承合理的，去除不好的。儒家学说所讲的孝，不只是管吃、管喝，让父母衣食无忧，真正的孝是"善继其志”（《礼记·学记》），就是善于继承父辈的志向，这才是真正的大孝。

4.21

子曰："父母之年，不可不知也，一则以喜，一则以惧。"

The Master said, "The years of parents may by no means not be kept in the memory, as an occasion at once for joy and for fear."

【译文】孔子说："父母的年龄，不可以不知道，一方面因其年高而高兴，一方面因其年老而忧惧。"

【解读】做子女的要牢记父母的年龄，喜的是，父母又多陪伴了自己很长时间；惧的是，父母年龄越大，与我们相处的时间也就越来越少。这是人之常情，人生都是在这种循环往复中度过的。为人子女者一定要感恩父母的养育，及时孝敬父母啊！

4.22

子曰："古者言之不出，耻躬之不逮[1]也。"

The Master said, "The reason why the ancients did not readily give utterance to their words, was that they feared lest their actions should not come up to them."

【注释】［1］逮（dài）：及，到。

【译文】孔子说："古时人的话不轻易承诺，是怕自身做不到而感到羞耻。"

【解读】如果说到做不到，这是深以为耻的事情。古人非常明白"覆水难收"的道理，所以讲话特别注意，自己做不到的事绝不轻易承诺，这关乎信誉。信誉是立身之本，古人往往把它视为自己的生命，容不得半点儿马虎，甚至是戏言也要慎重对待。周成王桐叶封弟，本是戏言，但是周公为了维护天子尊严，还是顺势把晋封给了唐叔虞，以践行其言。

4.23

子曰："以约[1]失之者鲜矣。"

The Master said, "The cautious seldom err."

【注释】［1］约：约束。

【译文】孔子说："由于严于律己而发生过失的，是很少有的。"

【解读】孔子认为，一个人严于律己，自我约束，谨慎行事，就会减少过失。一个"约"字是问题的关键。人自恃才情，才会放肆，慢慢就会越来越放荡。如果自己能够约束自己，慢慢就会越来越规矩。成汤制事制心，心中满是敬意；太甲败度败礼，心中满是放纵。圣人和愚人的分别也都在心中的"约"而已。

4.24

子曰："君子欲讷[1]于言而敏于行。"

The Master said, "The superior man wishes to be slow in his speech and earnest in his conduct."

【注释】［1］讷（nè）：语言迟钝。

【译文】孔子说："君子要在说话上谨慎迟钝，而在做事上勤快敏捷。"

【解读】本章与《学而》篇中"敏于事而慎于言"语意相近。理解这句话时，也不要太拘泥，孔子并不是喜欢拙嘴笨舌、说话迟钝，而是主张说话要过脑、走心，考虑好了再说，做事情则不要犹豫不决。

4.25

子曰：“德不孤，必有邻。”

The Master said, “Virtue is not left to stand alone. He who practises it will have neighbors.”

【译文】孔子说：“有仁德的人不会孤单，必有好邻居相伴相助。”

【解读】此语是说有德之人不会孤立或孤单，必然有善邻与其相处。宋代邢昺《论语注疏》解曰：“此章勉人修德也。有德则人所慕仰，居不孤特，必有同志相求与之为邻也。”对于个人而言是这个道理，对于国家而言也是这个道理。以德治国，必然得到广大民众的拥戴；以德对待别国，也必然得到别国的尊重和支持。常言道，得道多助，失道寡助。

4.26

子游曰："事君数[1]，斯辱矣。朋友数，斯疏矣。"

Tsze-yu said, "In serving a prince, frequent remonstrances lead to disgrace. Between friends, frequent reproofs make the friendship distant."

【注释】［1］数：屡次，频繁。

【译文】子游说："侍奉君主，如果过于频繁或烦琐，就会招来羞辱。与朋友交往，如果过于频繁或烦琐，就会导致疏远。"

【解读】君臣相处、朋友相交要有一定的原则。臣事君以忠，应该忠于自己的职责。如果君有错，臣子理应尽力劝谏，加以匡正。但如果君主不予接受，为臣已经尽职了，此时应讲明道理适可而止，切不可执意孤行，屡谏不止，否则会使自己受辱，如遇昏君弄不好还会断送性命。朋友相处亦是如此，劝谏朋友，本出于诚心好意，但如果烦琐重复，喋喋不休，同样会招致朋友的厌烦与疏远。此语值得我们每个人深思，无论身处什么位置，应换位思考，正确认识，理智对待，才可谓明智。

公冶长第五

Book 5. Kung-ye Ch'ang

5.1

子谓公冶长[1]："可妻也，虽在缧绁[2]之中，非其罪也。"以其子妻之。子谓南容[3]："邦有道，不废；邦无道，免于刑戮。"以其兄之子妻之。

The Master said of Kung-ye Ch'ang that he might be wived; although he was put in bonds, he had not been guilty of any crime. Accordingly, he gave him his own daughter to wife. Of Nan Yung he said that if the country were well governed he would not be out of office, and if it were ill-governed, he would escape punishment and disgrace. He gave him the daughter of his own elder brother to wife.

【注释】［1］公冶长（cháng）：张撝之《中国历代人名大辞典》："春秋时齐国人，字子长。一作鲁国人，名苌，字子芝。孔子弟子、女婿。"

［2］缧绁（léi xiè）：捆绑人的绳索，指被缚入狱。至于公冶长因何被捕入狱，传说是他懂鸟语惹的祸。梁朝皇侃《论语义疏》记载："别有一书，名为《论释》，云：'公冶长从卫还鲁，行至二界上，闻鸟相呼往清溪食死人肉。须臾见一老妪当道而哭，冶长问之，妪曰：'儿前日出行，于今不反，当是已死亡，不知所在。'冶长曰：'向闻鸟相呼往清溪食肉，恐是妪儿也。'妪往看，即得其儿也，已死。妪告村司，村司问妪从何得知之，妪曰：'见冶长道如此。'村官曰：'冶长不杀人，何缘知之？'因录冶长付狱。主问冶长何以杀人，冶长曰：'解鸟语，不杀人。'主曰：'当试之。若必解鸟语，便相放也；若不解，当令偿死。'驻冶长在狱六十日。卒日，有雀子缘狱栅上相呼啧啧唶唶，冶长含笑。吏启主冶长笑雀语，是似解鸟语。主教问冶长：'雀何所道而笑之？'冶长曰：'雀鸣啧啧唶唶，白莲水边有车翻覆黍粟，牡牛折角，收敛不尽，

相呼往啄。'狱主未信，遣人往看，果如其言。后又解猪及燕语，屡验，于是得放。然此语乃至杂书，未必可信，而亦古旧相传，云冶长解鸟语，故聊记之。"［3］南容：即南宫括，字子容。孔子弟子。鲁国人。

【译文】孔子评论公冶长说："可以把女儿嫁给他做妻子，虽然他曾被缚在狱中，但并不是他的罪过。"于是把自己的女儿嫁给他。孔子评论弟子南容说："国家政道清明，任官而不被废黜；国家政道黑暗，也能免遭刑罚惩处。"于是把哥哥的女儿嫁给他。

【解读】能够对自己的弟子了解如此透彻，并且为自己的女儿、侄女找到好的归宿，让我们看到孔子不仅是威严的圣人，而且也是一位慈祥的长辈。他是达观睿智的老师，面对被囚的弟子公冶长，他超脱于世俗的观念之上，认为弟子刑非其罪，这是对弟子真正的了解与支持；南宫括能够在政治清明时，通过做官来实现自身的抱负与理想，在政治混乱、黑暗之时，能够保全自己不受刑戮，受到孔子的高度赞扬。孔子也是暖心体贴的长辈，将女儿与侄女嫁给欣赏的弟子，给她们找到安稳的依靠，可以说是深爱孩子。从这里我们看到的是一个平凡温情的老人，并且怀有不以一时的得失荣辱来评判人的胸怀，即便放在现在，也是让人心生钦佩的。

5.2

子谓子贱[1]："君子哉若人！鲁无君子者，斯焉取斯？"

The Master said of Tsze-chien, "Of superior virtue indeed is such a man! If there were not virtuous men in Lu, how could this man have acquired this character? "

【注释】［1］子贱：姓宓，名不齐，字子贱。孔子弟子。宓姓，古读 fú，今读 mì。

【译文】孔子评论弟子宓子贱说："这个人是君子啊！鲁国如果没有君子，他从哪里学得到这么好的品德呢？"

【解读】孔子将子贱称为君子，对他是满满的赞许。可是子贱的君子品格是如何炼成的呢？

子贱曾为单父宰，在他当政之时，“躬敦厚，明亲亲，尚笃敬，施至仁，加悬诚，致忠信，百姓化之”（《孔子家语·屈节解》）。并且他非常善于向别人学习，“所父事者三人，所兄事者五人，所友者十有二人，所师者一人”。可见，子贱的施政理念完全遵循了孔子的教诲，并且广泛地与贤人君子结交，汲取他们的优点和智慧，进而提高自己的道德修养与执政水平。子贱的成功，就是在礼乐环境的熏陶下，通过自己的博学广识、努力进取实现的。

5.3

子贡问曰:“赐也何如? ”子曰:“女器也。”曰:“何器也? ”曰:“瑚琏[1]也。”

Tsze-kung asked, “What do you say of me, Tsze? ” The Master said, “You are a utensil. ” “What utensil? ” “A gemmed sacrificial utensil. ”

【注释】［1］瑚琏:祭器。汉包咸曰:“瑚琏者,黍稷器也。夏曰瑚,殷曰琏,周曰簠簋(fǔ guǐ),宗庙器之贵者也。”(何晏《论语集解》)因是贵器,故以其喻有用之才。

【译文】子贡问道:“我端木赐怎么样?”孔子说:“你好比一个器皿。”子贡问:“什么器皿?”孔子说:“是宗庙里盛黍稷的贵重祭器瑚琏。”

【解读】孔子善于借助器物，运用比喻来评论人物、说明道理。不过由于孔子曾经说过“君子不器”的话，所以有人据此认为本章是孔子对子贡的批评。实际上，子贡才干非常突出，善于经商富甲天下，善于外交，曾救鲁国于危亡之际。孔子以瑚琏来比喻子贡，是着重对子贡才能方面的褒奖。在孔子看来，高层次君子不仅要有突出的才干，更要注重提高道德修养。所以，本章是孔子对子贡的赞美与期许。

子贡诚商　吴泽浩 绘

5.4

或曰："雍也仁而不佞。[1]"子曰："焉用佞？御人以口给[2]，屡憎于人。不知其仁，焉用佞？"

Some one said, "Yung is truly virtuous, but he is not ready with his tongue." The Master said, "What is the good of being ready with the tongue? They who encounter men with smartnesses of speech for the most part procure themselves hatred. I know not whether he be truly virtuous, but why should he show readiness of the tongue?"

【注释】［1］雍：即冉雍，字仲弓。佞（nìng）：口才好，能言善辩。［2］御：抵挡，对付。口给：《辞源》解为"口辞敏捷。给，足，言辞不穷的意思"。《十三经辞典》解为"口齿伶俐，能言善辩。御，抵御，对付"。以巧言利口对付人，逞口才之能，伶牙俐齿，与人交锋自然会“屡憎于人（常被人憎恶）”。

【译文】有人说：“冉雍嘛，有仁德却没有口才。”孔子说：“哪里用得着口才好呢？靠口辞敏捷、能言善辩对付人，会常常遭人家厌恶。我不知他是不是有仁德，但哪里一定要口才好呢？”

【解读】孔子不将“仁”轻易许人，即便是以德行著称的冉雍，孔子也认为其没达到尽仁的境界。但对于批评冉雍没有口才的观点，他却表示强烈反对。他认为：“巧言令色，鲜矣仁！”（《论语·阳货》）因何如此？本章可以看作是对这一观点的解答：当人靠能言善辩、巧言利口对付人时，是很遭人憎恶的。

5.5

子使漆雕开[1]仕。对曰："吾斯之未能信[2]。"子说。

The Master was wishing Ch'i-tiao K'ai to enter on official employment. He replied, "I am not yet able to rest in the assurance of THIS, " The Master was pleased.

【注释】［1］漆雕开：姓漆雕，名开。孔子弟子。［2］信：明白、知晓。当今注家大都解作信心或自信，我们查了不少古籍和辞书，未见先秦"信"有"信心""自信"的用法。"信"有"明"义，有"知晓"义。《淮南子·氾论》："及其为天子三公，而立为诸侯贤相，乃使信于异众也。"高诱注："信，知也。"漆雕开自认对出仕为官之道尚未明晓，表示谦谨，故孔子喜悦。

【译文】孔子让弟子漆雕开去做官。漆雕开回答说："我对为官之道还未弄明白。"孔子听了很高兴。

【解读】孔子主动让漆雕开去做官，这说明他已具备了"学而优则仕"的条件。可是，他却坚持说自己还需要继续学习，这可以看出漆雕开希望能够继续提高自己、完善自己，能够在将来的事业中取得更大的成功。所以，这不是漆雕开在逃避，更不是自卑怯懦，而是漆雕开的谦虚好学、远大追求与志向赢得了老师的赞许。当今我们也应如此，一路求学，就是渴望成就更加完善的自己。

5.6

子曰："道不行，乘桴[1]浮于海。从我者其由与？"子路闻之喜。子曰："由也好勇过我，无所取材[2]！"

The Master said, "My doctrines make no way. I will get upon a raft, and float about on the sea. He that will accompany me will be Yu, I dare say." Tsze-lu hearing this was glad, upon which the Master said, "Yu is fonder of daring than I am. He does not exercise his judgment upon matters."

【注释】［1］桴（fú）：木筏。［2］材：《汉语大词典》："通'哉'。语气词。《论语·公冶长》：'由也好勇过我，无所取材！'何晏集解：'古字材、哉同。'"

【译文】孔子说："如果我的主张行不通了，

我将乘着木筏漂流到海外去。跟从我的人，那大概是仲由吧？”子路听到后很高兴。孔子说：“仲由的勇敢是超过我的，但过于勇猛，这一点是不可取的啊！”

【解读】孔子叹道难行，偶生放弃之心，欲乘桴浮海，并认定第一个能跟从自己的，就是子路，这是对子路的信任，因此子路“闻之喜”。但孔子认为，子路“过勇”，这一点不可取。对于子路的粗鲁、过勇的性格，孔子多有批评，如《先进》篇，孔子批评他“其言不让”，教育他应“为国以礼”；《述而》篇批评他“暴虎冯河，死而无悔”，教育他应“临事而惧，好谋而成”。这种批评，是一种掏心掏肺的关爱。

应该特别指出的是，孔子所说的“无所取”，仅仅是指子路“好勇”这一点不可取，并非像某些《论语》注解所说的“仲由好勇过头，对他我无所取用”。事实上子路是可用之才，孔子周游列国十四年，历尽艰辛，子路是为数不多的最忠实的跟随者。子路不仅跟随孔子周游列国忠勇相随，而且是孔门四科之中著名的政事活动家。

5.7

孟武伯[1]问："子路仁乎？"子曰："不知也。"又问。子曰："由也，千乘之国，可使治其赋[2]也，不知其仁也。""求也何如？"子曰："求也，千室之邑，百乘之家，可使为之宰也，不知其仁也。""赤也何如？"子曰："赤也，束带立于朝，可使与宾客言也，不知其仁也。"

Mang Wu asked about Tsze-lu, whether he was perfectly virtuous. The Master said, "I do not know." He asked again, when the Master replied, "In a kingdom of a thousand chariots, Yu might be employed to manage the military levies, but I do not know whether he be perfectly virtuous." "And what do you say of Ch'iu? " The Master replied, "In a city of a thousand families, or a clan of a hundred chariots, Ch'iu might be employed as governor, but I do not know whether he is perfectly virtuous." "What do you say of Ch'ih? " The Master replied, "With his sash girt and standing in a court, Ch'ih might be employed to converse with the visitors and guests, but I do not know whether he is perfectly virtuous."

【注释】［1］孟武伯：孟懿子的儿子，姓仲孙，名彘（zhì）。［2］赋：兵赋，包括兵员及武备，泛指军政。

【译文】孟武伯问："子路仁吗？"孔子说："不知道。"又问了一遍。孔子说："仲由嘛，有千辆兵车的诸侯大国，可以让他掌管军事，但不知他是否达到了仁。"又问："冉求怎么样？"孔子说："冉求嘛，千户居民的城邑，百辆兵车的卿大夫采邑，可以让他当总管，但不知他是否达到了仁。"又问："公西赤怎么样？"孔子说："公西赤嘛，穿上礼服立于朝堂，可以让他接待宾客，但不知他是否达到了仁。”

【解读】三个弟子，各有不同的才能和性格，也赢得孔子不同的评价。子路勇猛果敢，可以掌管军事；冉求多才多艺，严谨踏实，可以做地方长官，掌管一方政事；公西赤仪态翩翩，善于辞令，可以从事外交。由此可以看出孔子弟子人才济济，体会到孔子伟大的教育艺术，因材施教，各展其才。需要注意的是，孔子认为此三人都没有达到尽仁的境界。事实便是如此，孔子对仁的定位是：虽然人人心怀仁善，但层次不一且随情而变，一时一事无法断定其仁的尺度。同时也说明才干与道德修养并没有必然的联系，这提示我们无论身居何位，无论身怀何才，都应该努力提高道德修养，使自己成为一个具有大仁德之人。

5.8

子谓子贡曰："女与回也孰愈[1]？"对曰："赐也何敢望[2]回？回也闻一以知十，赐也闻一以知二。"子曰："弗如也！吾与女，弗如也。"

The Master said to Tsze-kung, "Which do you consider superior, yourself or Hui?" Tsze-kung replied, "How dare I compare myself with Hui? Hui hears one point and knows all about a subject; I hear one point, and know a second." The Master said, "You are not equal to him. I grant you, you are not equal to him."

【注释】［1］愈：超过，胜过。［2］望：比量，比较。

【译文】孔子对子贡说："你和颜回，谁更强一些？”子贡回答说：“我端木赐怎敢和颜回比？颜回听到一件事能推知十件事，我听到一件事只能推知两件事。”孔子说：“是不如他，我和你都不如他。”

【解读】颜回之所以被后世尊称为“复圣”，并非名不副实，而是实至名归。他的品德在彼时得到同学们的认可，即便是才华出众的子贡也自认不可与之相提并论。从本章看，颜子之所以赢得老师与同学一致赞颂，就在于他能“闻一以知十”。与颜回“闻一以知十”相比，其他同学对夫子的学说只是能够略加深化而已。而他却能够融会贯通，领悟本质，难怪连孔子都感叹不如颜回。从这句感叹中，我们可以感受到孔子那种博大的胸怀与内心的自豪：作为老师，能够培养出超过自己的学生，就是最大的成功。同时，这也在提醒我们，无论做什么，只有精益求精，努力领会其中的奥秘，才能够真正赢得别人的敬佩。

5.9

宰予昼寝。子曰："朽木不可雕也，粪土之墙不可杇[1]也，于予与何诛[2]？"子曰："始吾与人也，听其言而信其行；今吾与人也，听其言而观其行。于予与改是。"

Tsai Yu being asleep during the daytime, the Master said, "Rotten wood cannot be carved; a wall of dirty earth will not receive the trowel. This Yu! — what is the use of my reproving him?" The Master said, "At first, my way with men was to hear their words, and give them credit for their conduct. Now my way is to hear their words, and look at their conduct. It is from Yu that I have learned to make this change."

【注释】［1］粪土之墙不可杇（wū）：处于脱落状态的腐败墙壁是不可涂抹粉刷的。《说文解字》：“粪，弃除也。”凡住过泥巴墙老屋的人，都有这样的经历，老土墙受潮碱化，土质慢慢松软，表层泥土时常脱落，这样的墙，要想涂抹粉刷，是很困难的，也是徒劳的。《辞源》解“粪土”作“腐土”（腐烂败坏之土），正与文意吻合：腐朽之木不可雕刻，腐烂之墙不可粉刷。［2］诛：谴责。

【译文】宰予白天睡大觉。孔子说：“腐朽的木头不堪雕饰，腐烂的土墙不堪粉刷。对于宰予，我还怎么责备呢？”孔子又说：“开始时我对人，听他说的就相信他做的；如今我对人，听他说的还要观察他做的。由于宰予，我改成了这样的态度。”

【解读】能够引得夫子破口大骂，这也可以算是奇谈了。可是，宰予因何惹得孔子如此动怒呢？宰予以善于言辞闻名，为“孔门十哲”之一，与子贡并列。如果孔子仅仅因为弟子白天午睡便大发雷霆，也未免有些小题大做。当我们静下心来会发现，真正的原因应该在于孔子后半句所言，宰予做了言行不一的事情，失掉了诚信，孔子利用“昼寝”一事来对其加以警诫。由此，我们也应当警醒，如果言而无信，便如“朽木”“腐墙”一般，是无法造就的，所以，每个人都应该讲求诚信。并且，在与人交往中，了解一个人要听其言、观其行，看他是否言行一致。

5.10

子曰:“吾未见刚者。”或对曰:“申枨[1]。”子曰:“枨也欲,焉得刚?”

The Master said, “I have not seen a firm and unbending man.” Some one replied, “There is Shan Ch'ang.” “Ch'ang,” said the Master, “is under the influence of his passions; how can he be pronounced firm and unbending?”

【注释】[1]申枨(chéng):孔子弟子。

【译文】孔子说:“我未见过刚毅之人。”有人回答说:“你的学生申枨就是刚毅之人。”孔子说:“申枨欲望较重,怎能刚毅不屈?”

【解读】林则徐曾经写过一副名联:“海纳百川,有容乃大;壁立千仞,无欲则刚。”下联中

的立意即取自于本章。孔子极其重视“刚”这一品德，并将“刚”上升到“仁”德的高度（“刚毅木讷近仁”《论语·子路》）。怎样做才是一个刚毅的人？就在于能够克制自己的欲望。欲望过多，必然会受外界世事的牵绊，很难做到正直无私。只有内心超脱于万物之上，不被世俗诱惑，经得起物质上的考验，才能具备刚正坚毅的道德品质。在此，我们需要明确的是，刚毅之人不是没有欲望，而是要能够坚守道德的底线。毕竟，一些合理的欲望与梦想，能够激发我们内心积极进取的斗志。

5.11

子贡曰：“我不欲人之加诸我也，吾亦欲无加诸人。”子曰：“赐也，非尔所及也。”

Tsze-kung said, “What I do not wish men to do to me, I also wish not to do to men.” The Master said, “Tsze, you have not attained to that.”

【译文】子贡说：“我不愿别人把不好的事强加给我，我也不愿将不好的事强加给别人。”孔子说：“端木赐呀，这不是你所能做到的。”

【解读】子贡所提到的愿望，就是夫子所主张的“己所不欲，勿施于人”，能够做到这些，可以说是具有了较高的仁德了。子贡立志如此，可以说精神可嘉，但在孔子看来，这并不是子贡随随便便可以达到的。孔子这句话，实际上是对弟子子贡的提醒与告诫，更是勉励与鞭策。

5.12

子贡曰："夫子之文章，可得而闻也。夫子之言性与天道，不可得而闻也。"

Tsze-kung said, "The Master's personal displays of his principles and ordinary descriptions of them may be heard. His discourses about man's nature, and the way of Heaven, cannot be heard."

【译文】子贡说："夫子关于《诗》《书》《礼》《乐》文献典籍的学问，可以听得到；夫子所讲性命与天道的道理，无法听到。"

【解读】性，既指天性，人的本性，也指性命，即人的生命。天道，指自然的规律。《辞源》释"天道"曰："自然的规律。《荀子·天论》：'天有常道矣，地有常数矣。'汉王充《论衡·乱龙》：'鲸鱼死，彗星出，天道自然，非人事也。’古人认为天道是支配人类命运的天神意志。《尚书·汤诰》：‘天道福善祸淫，降灾于夏。’”性命、天道是难以说清楚的问题，孔子言之较少；再者，孔子重视人的主体精神，罕言性与天命，故弟子“不得而闻”。

5.13

子路有闻，未之能行，唯恐有闻。

When Tsze-lu heard anything, if he had not yet succeeded in carrying it into practice, he was only afraid lest he should hear something else.

【译文】子路听到一项道理，若未能实行，便生怕再听到另一项。

【解读】子路性格直率，勤于力行，在老师面前受教时，经常受到老师的善意批评，但似乎仍改不掉做事风风火火的性格。本章就表现了子路一心向善、闻善而从、闻善而行的品格。知易行难，相对于子路的这种雷厉风行的品格，更多的人往往只是纸上空谈。

5.14

子贡问曰："孔文子[1]何以谓之文也？"子曰："敏而好学，不耻下问，是以谓之文也。"

Tsze-kung asked, saying, "On what ground did Kung-wan get that title of Wan? " The Master said, "He was of an active nature and yet fond of learning, and he was not ashamed to ask and learn of his inferiors! On these grounds he has been styled Wan."

【注释】［1］孔文子：孔圉（yǔ），卫国大夫。

【译文】子贡问道："孔文子为何谥号'文'呢？"孔子说："他勤勉好学，不以对下请教为耻，所以谥'文'。"

【解读】《逸周书·谥法解》："学勤好问曰

文”。从谥号来看孔文子的确是“敏而好学，不耻下问”之人，但史载他在个人道德修养方面多有不足，私德有亏，还做过非礼的事情，子贡不解，故有此一问。这里可以看出孔子对人的评价，并不吹毛求疵，也绝不掩人之善。我们在与人交往中，是否该借鉴孔子这一客观对人的态度呢？

敏而好学，不耻下问　杨晓刚 绘

5.15

子谓子产[1]："有君子之道四焉：其行己也恭，其事上也敬，其养民也惠，其使民也义。"

The Master said of Tsze-ch'an that he had four of the characteristics of a superior man: in his conduct of himself, he was humble; in serving his superiors, he was respectful; in nourishing the people, he was kind; in ordering the people, he was just.

【注释】［1］子产：姓公孙，名侨，字子产。郑国大夫。

【译文】孔子评论子产说："他有四种君子德行：修行自身谦恭，服事君上恭敬，养民仁惠，使用民力合乎道义。"

【解读】子产是春秋时期郑国有名的政治家，开明廉洁、政绩显著，深受孔子的赞誉。孔子主要从个人修养、侍奉君主、养民、使民等方面评价子产，一个对人谦和、对上恭敬、想百姓之所思、予百姓之所需、以礼义治国、以德惠使民的人物形象跃然纸上。一个人无论身处何位，能够做到这些，都可以说具有“仁”德了，对于身居高位的人，更是难能可贵。从子产治国的一些具体做法中，如作封洫、立谤政、铸刑书、存乡校等，都可以感受到子产的开明仁德。

5.16

子曰："晏平仲[1]善与人交，久而敬之。"

The Master said, "Yen P'ing knew well how to maintain friendly intercourse. The acquaintance might be long, but he showed the same respect as at first."

【注释】[1]晏平仲：晏婴，字平仲，齐国大夫。

【译文】孔子说："晏婴善于跟别人交朋友，交往越久，别人越尊敬他。"

【解读】晏婴是春秋时期齐国著名的政治家，多年担任齐国国相，比孔子略长。对于本章中的"敬"字，历来有两种不同理解：一是他敬别人，二是别人敬他。其实这并不矛盾。"爱人者人恒爱之，敬人者人恒敬之"（《孟子·离娄下》）。从本章来看，应该更突出晏子能够赢得朋友的敬重。有意思的是，孔子曾经到过齐国，并深受齐景公赏识。原本齐景公要赐予孔子封地，恰恰是由于晏子的阻挠没有成功。但这丝毫没有影响孔子对晏子的赞誉，由此也可以看出孔子的坦荡胸怀与晏子的人格魅力！

5.17

子曰："臧文仲居蔡[1]，山节藻梲[2]，何如其知也？"

The Master said, "Tsang Wan kept a large tortoise in a house, on the capitals of the pillars of which he had hills made, and with representations of duckweed on the small pillars above the beams supporting the rafters. — Of what sort was his wisdom?"

【注释】［1］臧文仲：臧孙辰，谥号"文"。鲁国大夫。居：藏放，安置。蔡：大龟，蔡地产龟，专用以卜国之吉凶，故名。［2］山节：斗拱雕刻为山形。藻梲（zhuō）：短柱上画着藻纹。

【译文】孔子说："臧文仲藏放只有国君才可

用的大龟，其龟室的斗拱雕刻为山形，短柱上画着藻纹，有这种僭越君主礼法的奢侈做法，他这样算一种什么样的聪明呢？”

【解读】臧文仲是春秋时期鲁国著名的政治家，他智慧明达，关注民生，行事务实，在内政和外交方面多有建树。但是，他也因自己的一些失当举措受到孔子的批评。以孔子的标准来看，臧文仲的一些做法不但违背礼制，还不知节俭，是非常不明智的。

5.18

子张问曰："令尹子文[1]三仕为令尹，无喜色；三已之，无愠色。旧令尹之政，必以告新令尹。何如？"子曰："忠矣。"曰："仁矣乎？"曰："未知。焉得仁？"

"崔子[2]弑齐君，陈文子[3]有马十乘，弃而违之。至于他邦，则曰：'犹吾大夫崔子也。'违之。之一邦，则又曰：'犹吾大夫崔子也。'违之。何如？"子曰："清矣。"曰："仁矣乎？"曰："未知。焉得仁？"

Tsze-chang asked, saying, "The minister Tsze-wan thrice took office, and manifested no joy in his countenance. Thrice he retired from office, and manifested no displeasure. He made it a point to inform the new minister of the way in which he had conducted the government;— what do you say of him?" The Master replied, "He was loyal." " Was he perfectly virtuous?" "I do not know. How can he be pronounced perfectly virtuous? "

Tsze-chang proceeded, "When the officer Ch'ui killed the prince of Ch'i, Ch'an Wan, though he was the owner of forty horses, abandoned them and left the country. Coming to another state, he said, 'They are here like our great officer, Ch'ui,' and left it. He came to a second state, and with the same observation left it also; — what do you say of him?" The Master replied, "He was pure." "Was he perfectly virtuous?" "I do not know. How can he be pronounced perfectly virtuous?"

【注释】 [1] 令尹：楚国的最高官职，相当于"相"。子文：姓斗，名穀於菟（gǔ wū tú），字子文。[2] 崔子：崔杼，齐国大夫，在齐执政期间非常骄横，因齐庄公与其妻棠姜私通，弑齐庄公。[3] 陈文子：陈须无，齐国大夫。

【译文】子张问道："令尹子文三次就任令尹，没有喜悦之色。三次被罢免，没有怨怒之色。每次被罢免时，还把旧时自己任令尹时的施政之道，告诉新任令尹。这人怎么样？"孔子说："可以算是忠诚了。"子张进而问道："达到仁了吗？"孔子说："不知道。这怎么能算得上仁呢？"

子张又问："崔杼杀掉齐庄公，陈须无有马四十匹，弃马离开齐国。到了别的国家，则说：'这里的执政者也像崔杼一般。'于是离开所到之国。到了另一个国家，则又说：'这里的执政者也像崔杼一般。'又离开。这人怎么样？"孔子说："这人高洁清白。"子张进而问道："达到仁了吗？"孔子说："不知道。这怎么能算得上仁呢？"

【解读】令尹子文之"忠"，受到了孔子的肯定，但还未达到"仁"的高度。陈文子之所以"清"，并非简单地明哲保身，更不是"道不同不相为谋”，主要是其不愿意生活在无道又无序的环境之中。若拿二人与管仲相比，即可以对孔子关于“仁”的评价标准了然于胸。管仲虽然私德有亏，比如辅佐公子纠却不能死节，担任齐国国相却有僭越之举，但是，辅助齐桓公“尊王攘夷”“九合诸侯”“一匡天下”，使天下有定，百姓安居，被孔子赞为：“如其仁，如其仁！”可见，仁德之人，无论身居何位，都应该心怀仁爱之心，泽惠他人。

5.19

季文子[1]三思而后行。子闻之，曰："再，斯可矣。"

Chi Wan thought thrice, and then acted. When the Master was informed of it, he said, "Twice may do."

【注释】［1］季文子：字行父，谥文。鲁桓公少子季友之孙。

【译文】季文子遇事三思而后行。孔子听后，说："思考两次，就可以了。"

【解读】世人皆以"三思而行"为美德。当然，在做事情前，能够充分考虑事情的利弊得失，就会减少过失，做得完满，这固然很好。但如果一味强调多思，在需要当机立断的事情面前，则会由于思虑过多，变得优柔寡断而错失机遇，“当断不断，反受其乱”。季文子做事过于谨慎、犹豫，因此，孔子才会说季文子做事思考两次便够了，意在鼓励善思者更要果断。当然，本章更体现了孔子“过犹不及”的中庸思想。

5.20

子曰："宁武子[1]邦有道则知，邦无道则愚。其知可及也，其愚不可及也。"

The Master said, "When good order prevailed in his country, Ning Wu acted the part of a wise man. When his country was in disorder, he acted the part of a stupid man. Others may equal his wisdom, but they cannot equal his stupidity."

【注释】［1］宁武子：宁俞，谥武。卫国大夫。

【译文】孔子说："宁武子，国家政治清明，他就聪明智慧；国家政治混乱，他就装傻。他的聪明别人可以做得到，他的装傻别人很难做得到。"

【解读】宁武子侍奉卫文公时，国家政治清明，他充分施展自己的才智抱负，很受国君的器重。后来国家发生变故，当时的国君被逐，社会动荡不安，宁武子则又变得毫无才干，周旋于各派势力之间，不但保全自身，而且成功使卫成公复位。这是一种政治智慧。宁武子的韬光养晦、和光同尘，比之“邦无道，免予刑戮”的南宫括更胜一筹。这种大智若愚的智慧，深受孔子的赞叹，也对后世产生重大的影响。成语“愚不可及”源于本章，现在仍然广泛使用，不过意思已与本义相去甚远。

5.21

子在陈曰："归与！归与！吾党之小子狂简[1]，斐然成章，不知所以裁[2]之。"

When the Master was in Ch'an, he said, "Let me return! Let me return! The little children of my school are ambitious and too hasty. They are accomplished and complete so far, but they do not know how to restrict and shape themselves."

【注释】［1］狂：狂放不羁。简：大。《尔雅》："简，大也。"《尚书·尧典》："简而无傲。"《孟子·尽心下》："狂简进取。"［2］裁：裁剪，裁制。

【译文】孔子在陈国，说："回去吧！回去吧！我家乡的弟子们狂放志大，才华横溢，文采华盛，不知如何调教他们。"

【解读】孔子周游列国，并不得志，尤其在陈国，前后待了三年，备尝艰辛。所以，当鲁国召冉求回国时，饱经沧桑的孔子眺望东方，既渴望自己能够叶落归根，也渴望回到家乡继续调教和培养狂放志大的弟子们。于是，便深情地自语着："回去吧，回去吧！""归与"之叹不仅传达了孔子的思乡之情，而且千百年来也在漂泊游子的心中回响。

5.22

子曰：“伯夷、叔齐[1]不念旧恶，怨是用希。”

The Master said, “Po-i and Shu-ch'i did not keep the former wickednesses of men in mind, and hence the resentments directed towards them were few.”

【注释】［1］伯夷、叔齐：商孤竹君的两个儿子。其父遗命立叔齐为君，叔齐让伯夷，伯夷不受，遂出走。叔齐也不立，而相与往归西伯（周文王）。周武王伐纣，两人反对以暴易暴，拦车谏阻。周灭商之后，二人耻食周粟，饿死于首阳山。

【译文】孔子说：“伯夷、叔齐不记旧恨，别人对他们的怨恨也就很少。”

【解读】不念旧恶并不是没有善恶观念。“伯夷，非其君不事，非其友不友。不立于恶人之朝，不与恶人言”（《孟子·公孙丑上》），由此可以看出伯夷、叔齐是耿介正直、疾恶如仇之人。人生一世，谁能无过？面对幡然悔悟、改过自新的人，伯夷、叔齐的态度是不计前嫌、既往不咎。这种宽广的胸怀，又有谁会对他们怨恨呢？“不念旧恶”思想在中华民族中产生了重大影响，直到现在也是人际交往中重要的智慧。当然，这并不是让我们混淆是非观念，丧失底线，毕竟有些恶是不能原谅的。

5.23

子曰："孰谓微生高[1]直？或乞醯[2]焉，乞诸其邻而与之。"

The Master said, "Who says of Wei-shang Kao that he is upright? One begged some vinegar of him, and he begged it of a neighbor and gave it to the man."

【注释】［1］微生高：也写作尾生高，鲁国人。［2］醯（xī）：醋。

【译文】孔子说："谁说微生高直率？有人向他借醋，他不直接说没有，却到邻居家借来给人。"

【解读】本章足以看出孔子的观人智慧，能够从细微之处，看出人的内心修养。乞醯与人，事情虽小，见微知著，足以见大，自己没有，完全可以拒绝，大可不必借来给人。在孔子的道德框架里，交往处事重在诚信，这种乡愿小德有些虚伪，与献媚无异，若不警醒还可能积小伪成大恶。

5.24

子曰："巧言、令色、足恭，左丘明耻之，丘亦耻之。匿怨而友其人，左丘明耻之，丘亦耻之。"

The Master said, "Fine words, an insinuating appearance, and excessive respect; — Tso Ch'iu-ming was ashamed of them. I also am ashamed of them. To conceal resentment against a person, and appear friendly with him; — Tso Ch'iu-ming was ashamed of such conduct. I also am ashamed of it."

【译文】孔子说："花言巧语，伪善的容色，过分的恭敬，左丘明以为可耻，我也以为可耻。内心怨恨而表面上装作友好亲善，左丘明以为可耻，我也以为可耻。"

【解读】孔子做人是真诚的，所以他耻于"巧言”“令色”“足恭”“匿怨而友其人”四种行为，因其共同之处在于虚伪。孔子与左丘明应该是志趣相投的好友，左丘明的正直为孔子所钦佩。从中我们还可以看出，彼时的虚伪之人不以为耻，大行其道，社会风气是何其堕落。这是一个恐怖的现象。我们是否有这些不堪的行为，我们又是否有这种朋友呢？

5.25

颜渊、季路侍。子曰："盍各言尔志？"子路曰："愿车马、衣轻裘、与朋友共。敝之而无憾。"颜渊曰："愿无伐善，无施劳。[1]"子路曰："愿闻子之志。"子曰："老者安之，朋友信之，少者怀之。"

Yen Yuan and Chi Lu being by his side, the Master said to them, "Come, let each of you tell his wishes." Tsze-lu said, "I should like, having chariots and horses, and light fur dresses, to share them with my friends, and though they should spoil them, I would not be displeased." Yen Yuan said, "I should like not to boast of my excellence, nor to make a display of my meritorious deeds." Tsze-lu then said, "I should like, sir, to hear your wishes." The Master said, "They are, in regard to the aged, to give them rest; in regard to friends, to show them sincerity; in regard to the young, to treat them tenderly."

【注释】［1］伐善：夸耀自己的好处。施劳：夸耀自己的功劳。施，通“侈”（chǐ），夸耀。

【译文】颜渊、季路侍立于孔子身旁。孔子说：“何不各自谈谈你们的志向？”子路说：“愿把自己的车马衣裘与朋友共享，即使用坏了也没什么遗憾。”颜渊说：“愿不夸耀自己的长处，不夸大自己的功劳。”子路说：“想听听先生您的志向。”孔子说：“使老人安康，使朋友信任，让年轻人怀念。”

【解读】他们师徒三人的交流很有意思：子路性格直率豪爽，经常受到老师的批评；颜渊性格沉静善思，是弟子中唯一被认为达到仁德境界的人，时刻受到老师的称赞。通过他们三人的理想，可以看出不同的人生境界。子路与朋友共享财物而毫不吝啬，可看出他外向粗犷的性格，可以说达到了“义”的境界；颜渊更加注重内心修养的提高，看出他谦逊内敛的性格，可以说达到了“仁”的境界；孔子则将自己的仁德向外扩展，达到长育万物、人我合一的圣王境界。人生是一场修行，我们要在纷繁尘世间修养身心，不断提升人生境界。

5.26

子曰："已矣乎！吾未见能见其过而内自讼[1]者也。"

The Master said, "It is all over! I have not yet seen one who could perceive his faults, and inwardly accuse himself."

【注释】［1］自讼：自我责备。

【译文】孔子说："算了吧！我没见到能发现自己的过错而自我批评的人呢。"

【解读】现代社会能够直面自己过错的人已经不多了，能够不文过饰非，在心中真诚反省来自我批评的人就更少了。人非圣贤，孰能无过？但对待错误的态度决定了人生境界的高度。遗憾的是，面对自己的过错，更多人掩饰推诿，毕竟自我批评是需要很大勇气与胸怀的。所以，孔子才会发出深深的叹息，这是对当时现实的无奈。实际上，孔子也给我们指出了一种提高道德修养的方法，就是反躬自省，勇于改过。

5.27

子曰："十室之邑，必有忠信如丘者焉，不如丘之好学也。"

The Master said, "In a hamlet of ten families, there may be found one honourable and sincere as I am, but not so fond of learning."

【译文】孔子说："十户人家的小村落，一定有像我这样忠实诚信的人，只是不像我这样好学罢了。"

【解读】孔子以自身成就为例，强调了学习的重要性。孔子认为一般人中，有能做到忠信的，但很少有能做到好学不倦的。的确如此，孔子由于好学不倦，才成为博学多闻之人。他有"韦编三绝""入大庙，每事问""默而识之，学而不厌，诲人不倦，何有于我哉""在齐闻韶，三月不知肉味”等经典的好学言行。好学的人能将自己的心思放到个人的成长上，不断地提升自己，让自己的生命不断趋于完美。如今，我们有古人的前车之鉴，有老者的谆谆教诲，就更要把孔子的好学观当作自我提升的要求，在提升自己的同时体会学习的真乐趣。

后记

“中华优秀传统文化书系”是山东省委宣传部组织实施的2019年山东省优秀传统文化传承发展工程重点项目，由山东出版集团、山东画报出版社策划出版。

“中华优秀传统文化书系”由曲阜彭门创作室彭庆涛教授担任主编，高尚举、孙永选、刘岩、郭云鹏、李岩担任副主编。特邀孟祥才、杨朝明、臧知非、孟继新等教授担任学术顾问。书系采用朱熹《四书章句集注》与《十三经注疏》为底本，英文对照主要参考理雅各（James Legge）经典翻译版本。

《论语》（一）由高尚举担任执行主编，

王明朋、尚树志、张博、郭耀担任主撰；王新莹、朱宁燕、朱振秋、刘建、李金鹏、杨光、束天昊、张勇、陈阳光、周茹茹、房政伟、屈士峰、高天健、黄秀韬、曹帅、龚昌华、韩振、鲁慧参与编写工作；于志学、吴泽浩、张仲亭、韩新维、岳海波、梁文博、韦辛夷、徐永生、卢冰、吴磊、杨文森、杨晓刚、张博、李岩等艺术家创作插图；本书编写过程中参阅了大量资料，得到了众多专家学者的帮助，在此一并致谢。